Y0-CBO-663

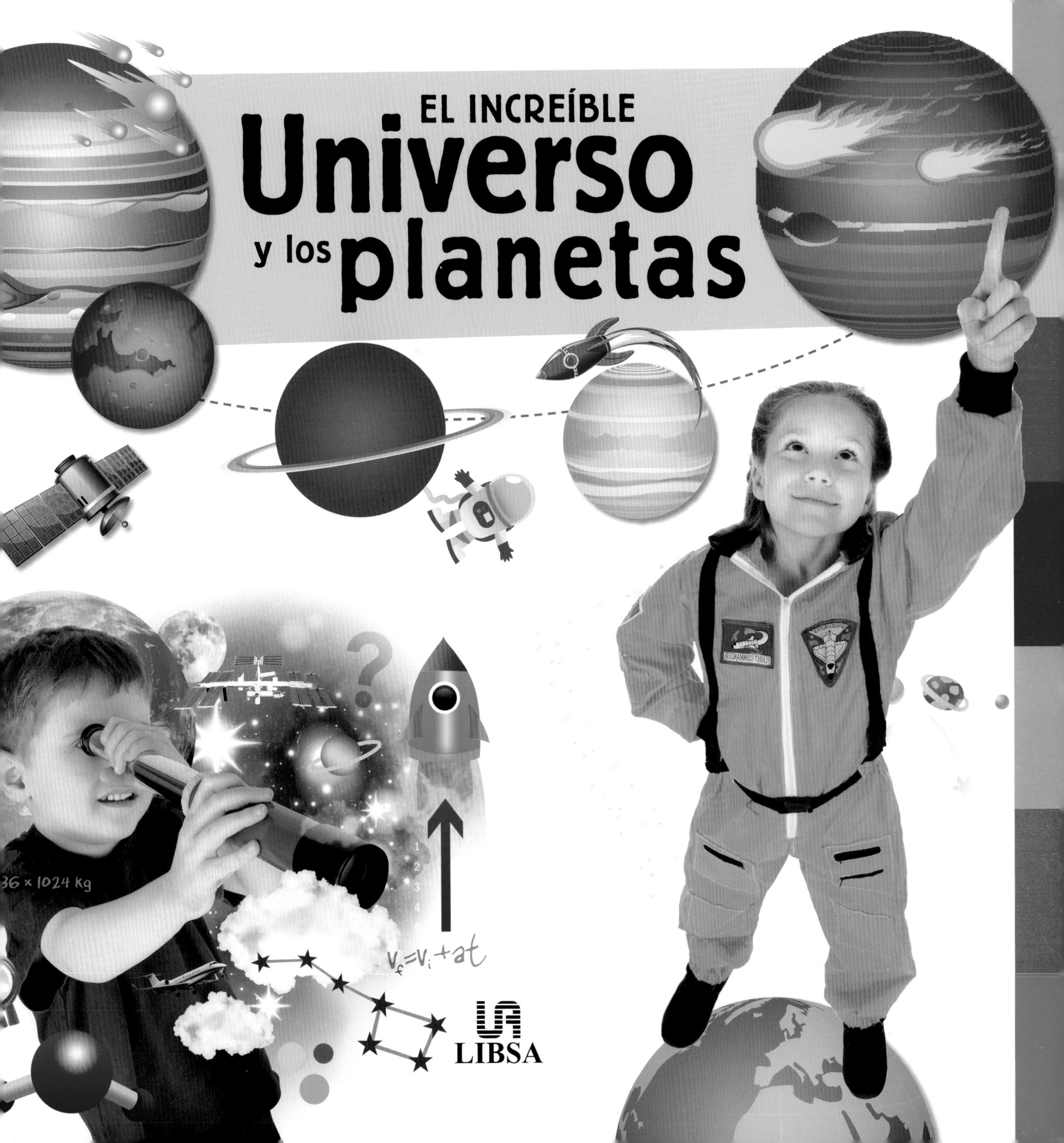
EL INCREÍBLE
Universo
y los planetas
36 × 1024 kg
$v_f=v_i+at$
LIBSA

¡Empieza la aventura!

Acabas de abrir una ventana a la inmensidad del **Universo** a través de la que realizarás un increíble viaje **desde el comienzo** de todo, con el **Big Bang,** hasta la **formación de las galaxias** y de nuestro pequeño gran hogar: la **Vía Láctea** y el **Sistema Solar.**

Aprenderemos datos y curiosidades sobre las **estrellas**, los **planetas** y otros **cuerpos celestes,** como los **cometas** o los **asteroides**. Conoceremos los **agujeros negros** y podrás dar rienda suelta a tu alma de **astronauta** con una visión panorámica de los **viajes espaciales** y sus **protagonistas**.

Representación del Big Bang

¿Qué era qué?

- **EL TIEMPO Y EL ESPACIO:** Antes del Big Bang no existía nada, todo era una extensión infinita vacía donde tampoco existían ni el espacio ni el tiempo. Con la «explosión» surgió la materia, el espacio, el tiempo y la energía.
- **LA MATERIA**: La materia que empezó a expandirse tras el Big Bang estaba compuesta por partículas elementales, como los electrones o los neutrinos. Se cree que el helio y el hidrógeno también surgieron del Big Bang y, al enfriarse, crearon los planetas.
- **ÁTOMOS:** 300.000 años después del Big Bang, se cree que empezaron a formarse los primeros átomos...

El Big Bang

El comienzo de todo

La mayor parte de los astrónomos creen que la teoría de la **Gran Explosión** o **Big Bang** es la mejor para explicar el **origen del Universo**. Pero no se refiere en realidad a que hubiera un estallido, sino a que hace unos **13.800 millones de años**, el Universo comenzó a expandirse.

Imaginemos que en el momento cero, justo antes de que existiera nada, todo estaba comprimido en un solo punto muy compacto y caliente que, de pronto, empezó a expandirse... Para imaginarlo mejor, pensemos en un universo con forma de cono o de dedal. El punto cero estaría en la base y comenzaría a expandirse hacia delante. Otra forma de imaginarlo es pensar en un globo cuando lo empiezas a hinchar y se expande...

Teoría del Big Bang

1. **Hace 13.800 millones de años aprox.** Big Bang
2. **Primeros segundos después del Big Bang** Nacimiento de partículas subatómicas
3. **Unos 300.000 años después** Electrones y núcleos se combinan en átomos
4. **Unos 300 millones de años después** Primeras estrellas y galaxias
5. **Unos 8.000 millones de años después** Formación del Sistema Solar y de la Tierra

CURIOSIDADES

- El **Big Bang** ocurrió hace unos **13.800 millones de años**, pero el **Sistema Solar** no empezó a formarse hasta hace unos **8.000 millones de años**.
- En el año **2014** un telescopio situado en el Polo Sur captó las **ondas** que dejó el **Big Bang**.
- Existe una teoría sobre el final del Universo llamada **Big Crunch** en la que se dice que dentro de unos **100.000 millones de años**, el **Universo** revertirá y **volverá a su primer estadio** condensado y caliente.
- Hoy, **el Universo** continúa en constante expansión... **¡Sigue creciendo!**

GALAXIAS VECINAS

Nombre	Distancia en años luz
Nubes de Magallanes	200.000
La Osa Menor	300.000
El Dragón	300.000
El Fogón	400.000
Leo	700.000
Andrómeda	2.200.000
El Triángulo	2.700.000

CURIOSIDADES

- En **1936** Edwin **Hubble** hizo la **primera clasificación** de las **galaxias** tal y como las conocemos hoy.
- El **75%** de las **galaxias** son **elípticas**.
- Solo el **5%** de las **galaxias** son **irregulares.**
- El objeto más alejado de la Tierra que sin embargo puede observarse a simple vista es la **galaxia Andrómeda**. Esta galaxia viene hacia la Tierra a 300 km/seg y se ha estudiado que dentro de unos 5.000 millones de años, chocará con nosotros y nos fusionaremos en una única galaxia supergigante.

Andrómeda

Galaxias

Millones en el Universo

Una **galaxia** es un **conjunto** enorme de **estrellas**, **planetas, gases** y **polvo**. Tan, tan grande es una galaxia, que **la luz** puede tardar ¡**cientos de miles de años** en **atravesarla**! Así que… ¡no es buen destino para tus vacaciones!

Donde se concentran más estrellas y cuerpos cósmicos es en el centro de una galaxia y lo que mantiene unidos todos los elementos de una galaxia es su fuerza gravitatoria. En el Universo hay unos cien mil millones de galaxias... La nuestra, la Vía Láctea, es un minúsculo puntito en esa inmensidad.

Tipos de galaxias

GALAXIAS ESPIRALES

Quizá sea la forma más conocida, porque nuestra galaxia es de este tipo, pero no es la más habitual. Se trata de un montón de cuerpos celestes apelotonados en un núcleo del que parten unos brazos en forma de espiral, algo así como un disco gigantesco. Para nombrarlas, los astrónomos les han asignado la letra S y, según sean sus brazos de apretados o dispersos, las catalogan con otras letras minúsculas, como la a, b, c, etc.

GALAXIAS ELÍPTICAS

Son las más frecuentes. Tienen el aspecto de una pelota de rugby enorme y en ellas hay sobre todo estrellas antiguas. Entre los tipos de galaxias, probablemente tengan el récord en tamaño: pueden ser verdaderamente gigantescas, ya que se cree que a veces se forman de la fusión de varias galaxias. Para nombrarlas, se les ha dado la letra mayúscula E y se añade una cifra que va desde el 0 (las más redondas) hasta el 7 (las más ovaladas).

GALAXIAS IRREGULARES

Simplemente, son todas esas galaxias originales y extravagantes que no encajan con la forma de las otras dos. Les han dado la letra I para nombrarlas.

La Vía Láctea

Imagina a lo grande: nuestra galaxia, la **Vía Láctea**, tiene unos **950.000 billones de km** de extensión... Y nuestro planeta, **la Tierra**, está en uno de sus brazos, a unos **30.000 años luz del núcleo.**

Origen mitológico

Quizá te interese saber por qué nuestra galaxia se llama Vía Láctea... Según la mitología griega, el dios Zeus tuvo un hijo con una mortal, al que llamó Hércules. Para que Hércules pudiera ser inmortal, debía ser amamantado por una diosa, así que Hermes, el mensajero de los dioses, colocó al pequeño Hércules en el seno de Hera, la esposa de Zeus, mientras ella dormía. Cuando la diosa se despertó y vio al niño que su esposo había tenido con otra mujer, se enfureció tanto, que lo separó bruscamente de su pecho y así, toda la leche de la diosa se dispersó por el cielo, dando lugar a la Vía Láctea, que significa: «camino de leche».

El nacimiento de la Vía Láctea, Rubens, Museo del Prado, Madrid.

El Sistema Solar está siempre girando alrededor del núcleo de la Vía Láctea a unos 270 km/seg... ¡Tardamos 225.000.000 de años en dar un giro completo!

Entre otros cuerpos, la Vía Láctea tiene unos 200 billones de estrellas, así que nuestra estrella, el Sol, no parece demasiado importante dentro de la galaxia.

Las nebulosas

Además de estrellas, nuestra galaxia tiene nebulosas, que son nubes de polvo y gas. Antes de que se inventara el telescopio, se llamaba nebulosa a cualquier objeto celeste de apariencia difusa, pero hoy en día sabemos muchísimo de estas grandes masas de polvo cósmico.

Nebulosa de Orión

DISTANCIA A DIFERENTES NEBULOSAS DESDE LA TIERRA

Nebulosas	Distancia en años luz
Nebulosa de la Hélice	600
Nebulosa de la Cabeza de Caballo	1.200
Nebulosa de Orión	1.500
Nebulosa del Cangrejo	6.520
Nebulosa del Águila	7.000

CURIOSIDADES

- La galaxia vecina más cercana a la Vía Láctea es **Nubes de Magallanes**, que está «solo» a **200.000 años luz**.
- En el **centro de la Vía Láctea** hay un **inmenso agujero negro**, pero tranquilo, estamos a salvo de él: **¡está a 250.000.000.000.000.000 km de distancia!**
- Todo es relativo... ¿te parecen grandes la Tierra, la Luna o el Sol? Piensa esto: viajando a la velocidad de la luz, tardaríamos dos segundos en ir desde la Tierra hasta la Luna. **Desde el Sol hasta el centro de la Vía Láctea se tardarían... ¡25.000 años!**

La Vía Láctea vista desde el observatorio MacDonald (Fort Davis, Texas, EE.UU.).

Proxima Centauri

Es la estrella más cercana a la Tierra, se trata de una estrella roja que tiene un tamaño diez veces menor que el Sol… Y eso que el Sol es una estrella de tamaño mediano.

CURIOSIDADES

- Solo la **Vía Láctea** tiene unos **200 billones de estrellas…** ¿Cuántas habrá en el Universo?
- Con una **nave espacial** tardaríamos unos **700 siglos** en llegar a las **estrellas** que tenemos **más cerca.**
- Aunque el **cielo estrellado** por la noche te parezca una inmensidad, en realidad no puedes **observar** más de **unas 6.000 estrellas.**
- Seguro que te has preguntado por qué las estrellas solo salen de noche… En realidad, **de día** están en el **mismo sitio**, lo que ocurre es que la luz del Sol es mucho más intensa que la de las otras estrellas y las anula.
- El tipo de **estrella más pesada** es la **estrella de neutrones**: una cucharadita de su superficie pesaría más que todos los seres humanos juntos.

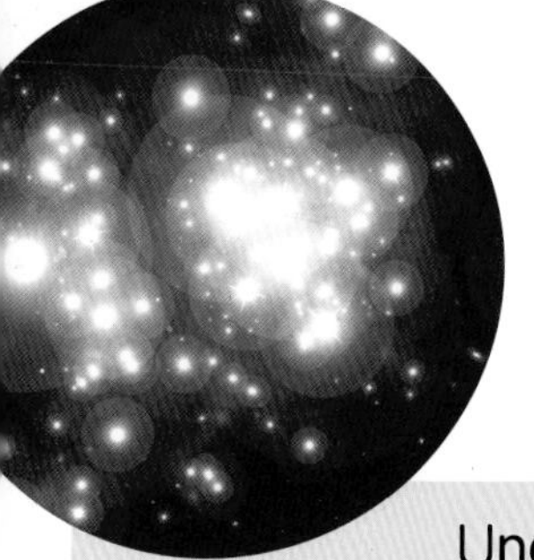

Estrellas

Puntos brillantes en el cielo

Una **estrella** es un **objeto celeste de forma esférica** formada por un **gas** tan **caliente**, que es capaz de brillar con **luz propia**. Como están tan lejos de nosotros, las percibimos de noche como pequeños puntitos de luz... Excepto el Sol, que está mucho más cerca y por eso podemos verlo como un gran disco luminoso.

Los gases que forman una estrella son sobre todo el hidrógeno y el helio, que son elementos muy ligeros.

Conforme va pasando el tiempo, las estrellas crean elementos más pesados y cuando se les termina el combustible y empiezan a apagarse, echan esos materiales al espacio, donde comienzan a formarse nuevas estrellas. Es decir, ¡las estrellas son material reciclado y reciclable!

¿Por qué titilan?

El centelleo o parpadeo de las estrellas no es real. Lo que ocurre es que nuestra atmósfera está llena de vientos, variaciones de temperatura y densidades que hace que apreciemos su luz de ese modo, aunque en realidad las estrellas emiten su luz sin intermitencias.

Tipos de estrellas

Para determinar el tipo de una estrella se puede considerar su tamaño, su edad o la intensidad de su brillo... Pero para abreviar, debes saber que existen:

- Enanas amarillas, blancas, marrones, rojas...
- Gigantes naranjas, rojas y azules.
- Novas y Supernovas.

Nuestro Sol es una enana amarilla que se convertirá en una gigante roja en unos 4.000.000.000 años y terminará muriendo como una enana blanca cuando agote todo su combustible.

Constelaciones

Las **constelaciones** son **grupos de estrellas** que pueden formar una **figura imaginaria** en el cielo nocturno. Las figuras normalmente hacen referencia a la **mitología**, a formas de **animales** o de **objetos**. Casi es como un juego: unir unos puntitos (estrellas) con otros hasta formar una figura... Pero este juego fue muy importante, ya que siguiendo las constelaciones los navegantes podían **orientarse** en mitad de la **oscuridad** y del **mar**.

Constelaciones que se ven desde el Hemisferio Norte.

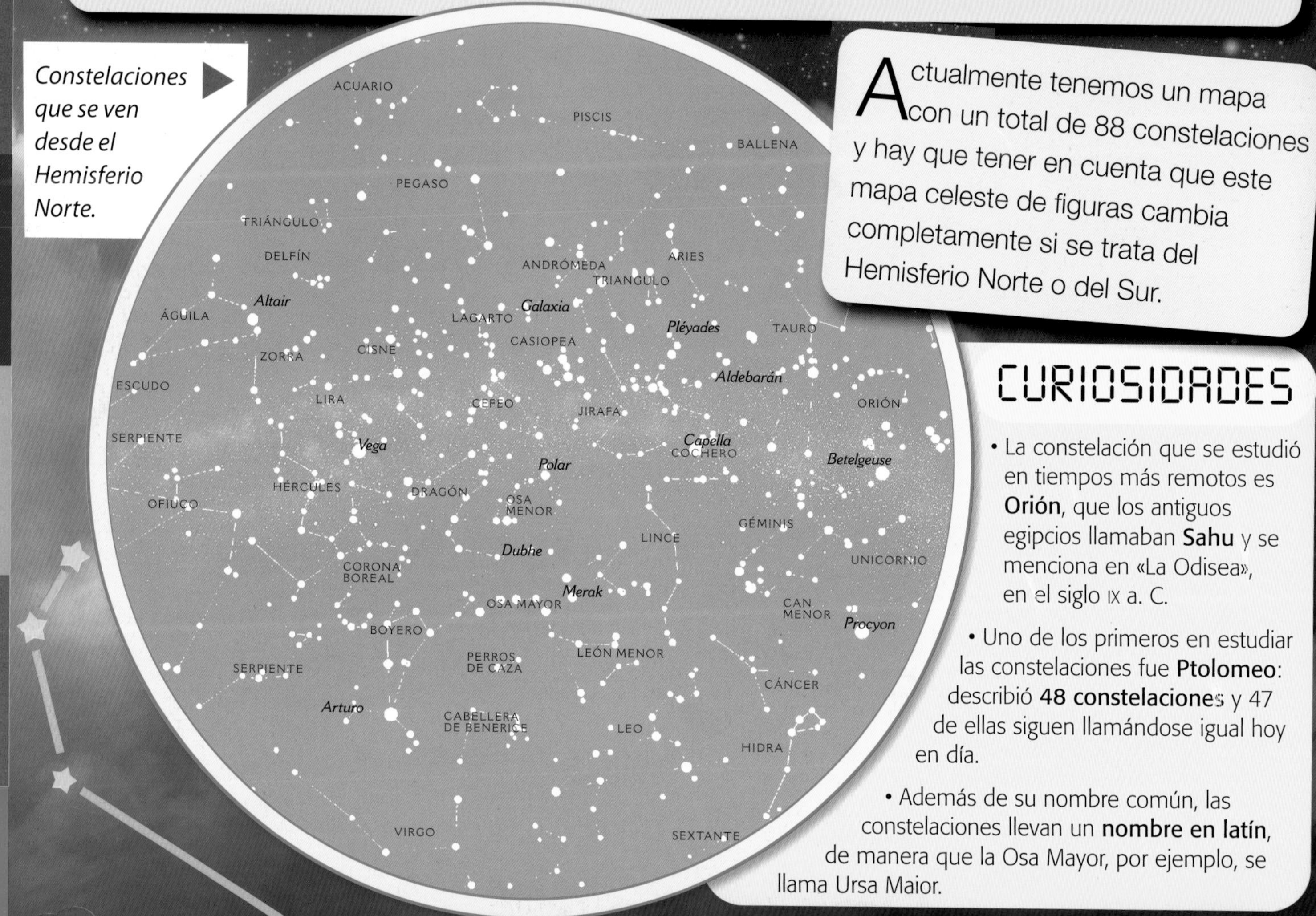

Actualmente tenemos un mapa con un total de 88 constelaciones y hay que tener en cuenta que este mapa celeste de figuras cambia completamente si se trata del Hemisferio Norte o del Sur.

CURIOSIDADES

- La constelación que se estudió en tiempos más remotos es **Orión**, que los antiguos egipcios llamaban **Sahu** y se menciona en «La Odisea», en el siglo IX a. C.
- Uno de los primeros en estudiar las constelaciones fue **Ptolomeo**: describió **48 constelaciones** y 47 de ellas siguen llamándose igual hoy en día.
- Además de su nombre común, las constelaciones llevan un **nombre en latín**, de manera que la Osa Mayor, por ejemplo, se llama Ursa Maior.

LAS MÁS FAMOSAS

Sin duda las constelaciones más conocidas son la Osa Mayor y la Osa Menor, también llamadas «el carro» por la forma que adoptan sus siete estrellas principales al unirse. También son muy famosas Centauro, que rodea la Cruz del Sur; Pegaso, cuya figura recuerda al caballo alado mitológico y Orión, porque tiene estrellas de un brillo inigualable que además son visibles desde los dos hemisferios.

GRANDES Y PEQUEÑAS

La constelación más grande es Hydra. Tiene ¡68 estrellas! formando su figura, mientras que la Cruz del Sur es la más pequeña... Pero es de gran utilidad: permite determinar el punto cardinal Sur.

LOS SIGNOS DEL ZODIACO

El grupo de constelaciones más importante es el que forma los doce signos del Zodiaco: Aries, Tauro, Géminis, Cáncer, Leo, Virgo, Libra, Escorpio, Sagitario, Capricornio, Acuario y Piscis.

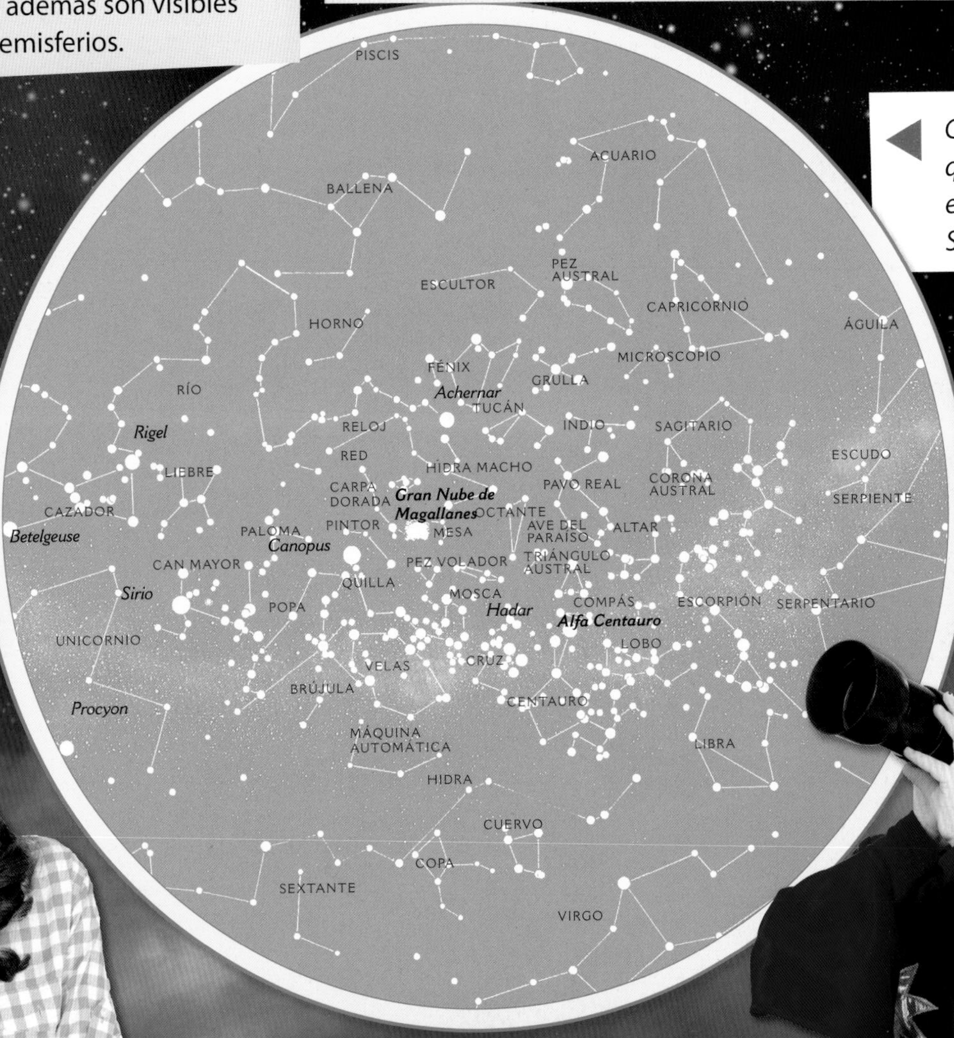

Constelaciones que se ven desde el Hemisferio Sur.

El Sistema Solar

Alrededor del Sol orbitan planetas, satélites, cometas, asteroides y enormes cantidades de gas y polvo: a este gran conjunto de cuerpos celestes se le denomina **Sistema Solar.**

El gran tamaño que tiene el Sol propicia que su campo gravitatorio mantenga a todos estos objetos en órbita; por ello los planetas más pesados y densos se encuentran cerca del Sol y los más gaseosos están más alejados.

Marte

Sol

Venus

Tierra

Mercurio

COMPARACIÓN DE TAMAÑOS DE LOS PLANETAS

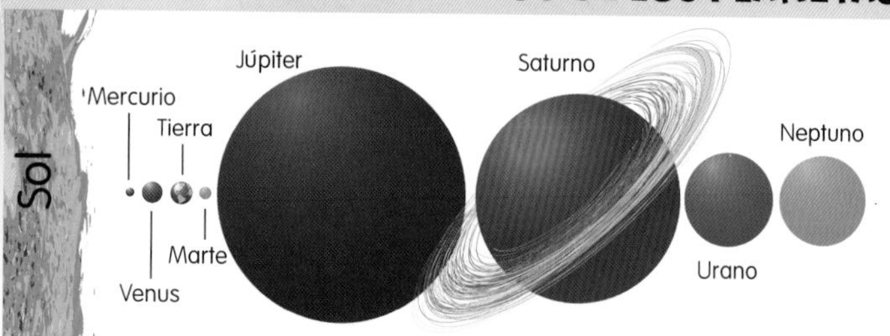

LOS PLANETAS DEL SISTEMA SOLAR

Planeta	Diámetro en km	Distancia al Sol en millones de km	Duración del movimiento de traslación en días y años	Duración del movimiento de rotación en días y horas	Número de satélites
Mercurio	4.880	58	87 días	58 días	–
Venus	12.104	108	224 días	243 días	–
Tierra	12.756	150	365 días	24 horas	1
Marte	6.793	228	686 días	24 horas	2
Júpiter	143.800	778	11 años	10 horas	63
Saturno	120.000	1.432	29 años	10 horas	33
Urano	52.300	2.871	84 años	17 horas	27
Neptuno	49.500	4.498	164 años	17 horas	13

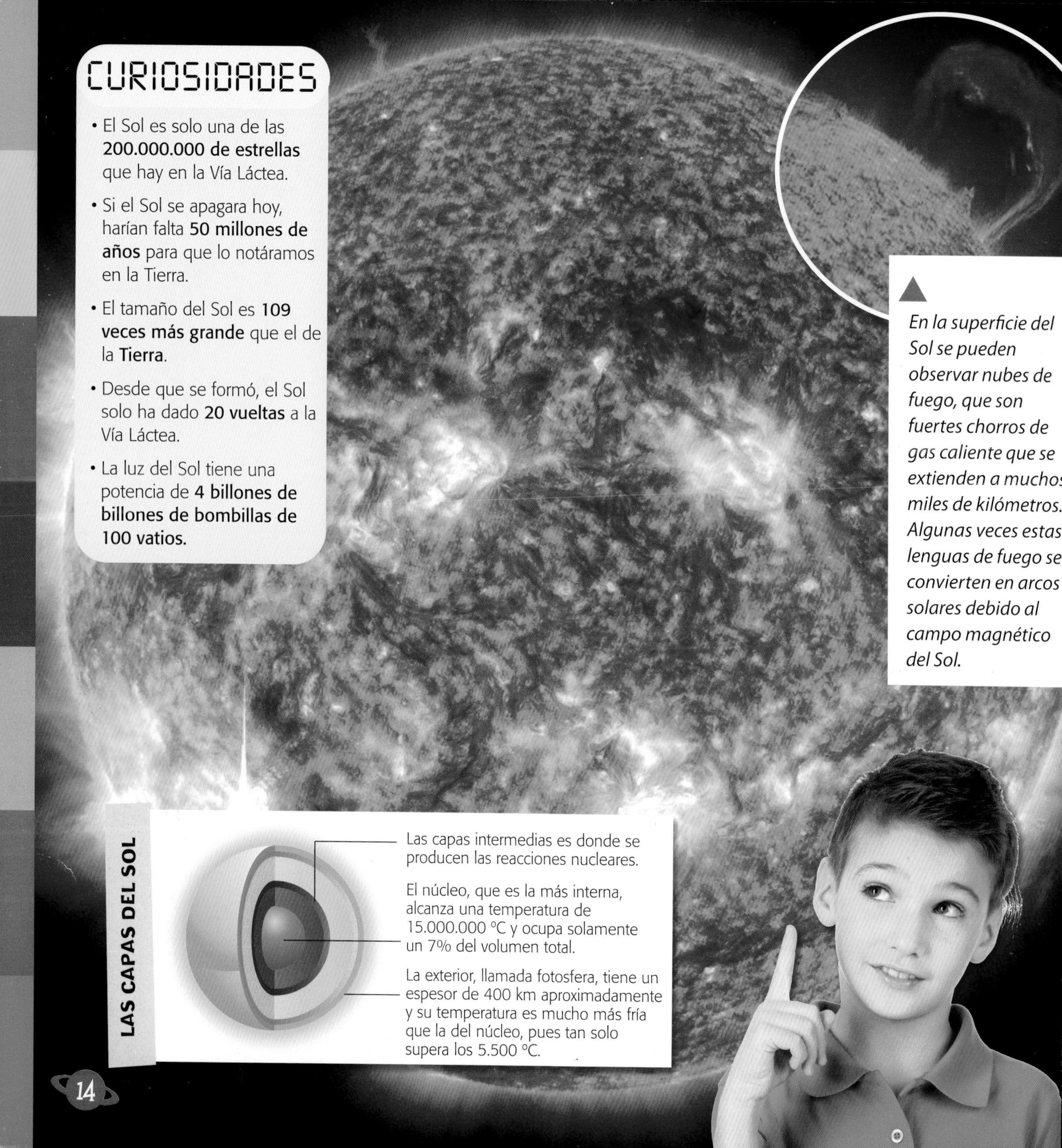

CURIOSIDADES

- El Sol es solo una de las **200.000.000 de estrellas** que hay en la Vía Láctea.
- Si el Sol se apagara hoy, harían falta **50 millones de años** para que lo notáramos en la Tierra.
- El tamaño del Sol es **109 veces más grande** que el de la **Tierra**.
- Desde que se formó, el Sol solo ha dado **20 vueltas** a la Vía Láctea.
- La luz del Sol tiene una potencia de **4 billones de billones de bombillas de 100 vatios.**

En la superficie del Sol se pueden observar nubes de fuego, que son fuertes chorros de gas caliente que se extienden a muchos miles de kilómetros. Algunas veces estas lenguas de fuego se convierten en arcos solares debido al campo magnético del Sol.

LAS CAPAS DEL SOL

Las capas intermedias es donde se producen las reacciones nucleares.

El núcleo, que es la más interna, alcanza una temperatura de 15.000.000 °C y ocupa solamente un 7% del volumen total.

La exterior, llamada fotosfera, tiene un espesor de 400 km aproximadamente y su temperatura es mucho más fría que la del núcleo, pues tan solo supera los 5.500 °C.

El Sol Nuestra estrella

El Sol, la estrella que está en el **centro** del **Sistema Solar,** constituye nuestra fuente de radiación electromagnética y sin su **luz** y su **calor** no sería posible la **vida** en la **Tierra**, ya que las plantas no podrían hacer la función de la fotosíntesis y por tanto la cadena de la vida se vería rota.

El Sol está dividido en capas, desde la más interna, el núcleo, donde la temperatura es más alta, hasta las capas intermedias o las más externas, en las que hace más frío. En la capa superior, la fotosfera, «solo» hay ¡5.500 °C!

EL DÍA, LA NOCHE Y LAS ESTACIONES

El Sol determina casi todos los fenómenos atmosféricos: el día y la noche, el clima, las estaciones... En los movimientos orbitales alrededor del Sol, una parte de la Tierra queda expuesta a su luz y entonces, en ese lado de la Tierra, es de día, mientras que el otro lado queda a oscuras y allí es de noche. El modo en que la Tierra da vueltas alrededor del Sol y de sí misma hace que a veces se incline acercándose o alejándose del Sol y entonces hace más o menos calor (es verano o invierno).

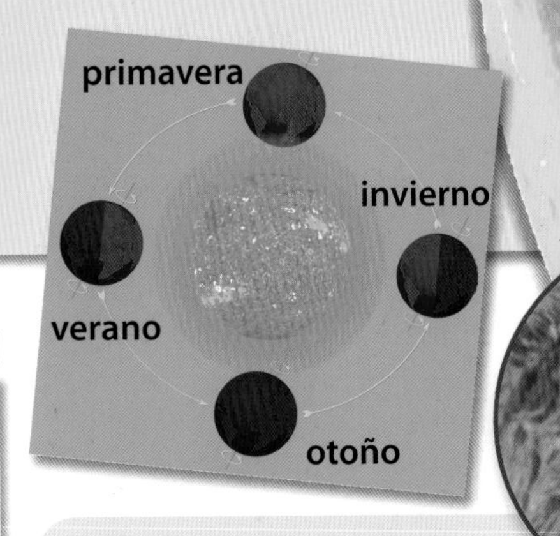

Ficha técnica

Tamaño (diámetro)	1.392.000 km
Duración del día (ecuador)	600 horas
Duración del día (los polos)	864 horas
Gravedad	274 m/s^2
Temperatura del núcleo	15.000.000 °C
Temperatura de la fotosfera	5.500 °C

¿QUÉ SON LAS MANCHAS SOLARES?

Las manchas solares son zonas cuya temperatura es de unos 1.400 °C, menos que en el resto de la fotosfera, y por ello aparecen más oscuras.

CURIOSIDADES

- Desde Mercurio podríamos observar... ¡un **amanecer doble**!
- Cuando se observa Mercurio desde la Tierra pueden verse fases parecidas a las de la Luna. Son las **fases mercurianas**.
- La primera observación de Mercurio con un telescopio la hizo **Galileo** en el **siglo** XVII, aunque la existencia del planeta era conocida ya desde los antiguos sumerios.
- El nombre de este planeta se debe al **dios romano Mercurio**, que era mensajero de los dioses y tenía alas en los pies. Seguramente lo llamaron así como referencia a su **rápido movimiento** alrededor del Sol.

El paso de Mercurio, visto desde la Tierra, por delante del Sol, se conoce como tránsito de Mercurio.

AS CAPAS DE MERCURIO

La corteza es su capa más externa y la más delgada y está llena de cráteres, lo que hace pensar que tiene muchos años. Las grandes hendiduras de su superficie demuestran que Mercurio, al enfriarse, se hizo más pequeño.

El manto está compuesto por silicatos y tiene aproximadamente unos 550 km de espesor: ocupa solamente el 25% del planeta.

El núcleo es la parte más grande del planeta (ocupa el 75%) y está compuesto por hierro y níquel líquido.

Mercurio El planeta caliente

Mercurio es el planeta **más cercano** al **Sol**, aunque eso no impide que en Mercurio sea **siempre de noche**: tiene una **atmósfera** tan **débil**, que su **cielo** es **negro** aunque sea de día.

La superficie de Mercurio, como la de la Luna, presenta numerosos impactos de meteoritos.

Mercurio es un planeta muy pequeño y sólido. El 75% del planeta es parte del núcleo, formado por hierro y níquel; es decir, el manto externo es una fina capa de apenas 600 km de espesor. Además, esa capa externa está llena de cráteres, porque en sus primeros momentos de vida (hace unos 4.000 millones de años) recibió una lluvia de meteoritos.

Sabemos que Mercurio tarda muy poco en girar alrededor del Sol, pero tarda mucho en girar sobre sí mismo: ¡58 días para completar la vuelta sobre su propio eje!

Ficha técnica

Tamaño (diámetro)	4.878 km
Distancia media al Sol	58.000.000 km
Duración del día	1.404 horas
Duración del año	87,97 días
Gravedad	2,7 m/s^2
Temperatura máxima	350 ºC
Temperatura mínima	–170 ºC
Satélites	Ninguno

UN PLANETA MISTERIOSO

Hasta 1974, fecha en que se envió por primera vez la sonda Mariner 10 a Mercurio, no se tenía ninguna información de este planeta. La sonda ofreció una idea de cómo era la superficie de Mercurio cartografiando hasta un 45% del planeta. Gracias a ese estudio, sabemos que es un lugar estéril y rocoso en el que además de múltiples cráteres, hay volcanes con la llamada forma de pancake (es decir, de tortita).

UNA GRAN SORPRESA

Aunque está tan cercano al Sol y su temperatura es por tanto muy elevada, se cree que hay hielo en Mercurio. En los cráteres más profundos situados en sus polos jamás habría llegado la luz solar y es posible que de un modo bastante misterioso se haya generado hielo en su interior.

EL DÍA MÁS LARGO

Venus tiene el récord de todo el Sistema Solar en cuanto a su día: dura ¡243! días terrestres. Su originalidad no termina ahí; además de que tarda esa barbaridad de tiempo en girar sobre sí mismo, es el único planeta que gira al revés que todos los demás (gira en el mismo sentido que las manecillas del reloj).

CURIOSIDADES

- En un ranking de planetas, Venus siempre subiría al podio: ocupa la **segunda posición** en cercanía al **Sol** y la **tercera** en **tamaño**, de menor a mayor.
- La **presión atmosférica** de Venus es **90 veces más** grande **que la de la Tierra**: ¡nos aplastaría!
- Es el único planeta (a excepción de la Tierra) con un **nombre femenino**: el de la **diosa Venus.**

LAS CAPAS DE VENUS

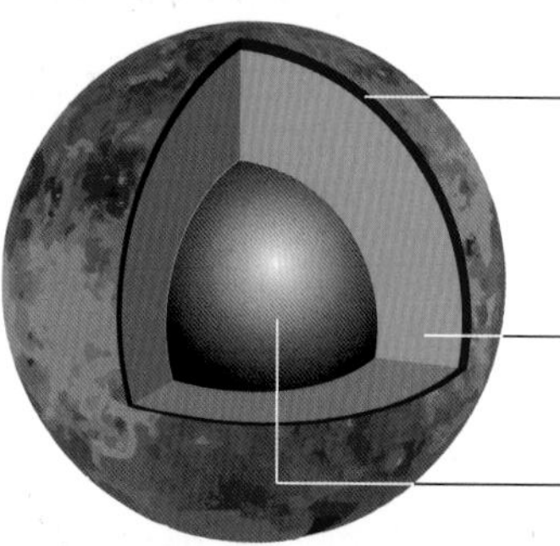

La corteza es realmente delgada: solo mide 50 km. Su superficie es prácticamente lisa: los terrenos elevados no alcanzan los 10 km de longitud ni los 2 km de altitud. Se piensa que la corteza es muy fina porque hasta hace poco estaba geológicamente activa.

El manto de Venus es rocoso y mide cerca de 3.000 km.

Su núcleo ocupa una proporción bastante grande dentro de su estructura; está compuesto por hierro y níquel en estado sólido.

Venus El hermano de la Tierra

Todos los **nombres** que ha recibido Venus son muy **poéticos**: **Venus** era la diosa de la belleza y el amor, también se le llama **«Lucero del Alba»** y **«Estrella de la tarde»**, por ser tan brillante. Sin embargo, este romanticismo poco tiene que ver con la realidad, porque ¿sabías que si te acercaras a Venus morirías instantáneamente **quemado** por el calor, **asfixiado** por su atmósfera y **disuelto** en ácido?

Ficha técnica

Tamaño (diámetro)	12.105 km
Distancia media al Sol	108.000.000 km
Duración del día	5.832 horas
Duración del año	224 días
Gravedad	8,87 m/s^2
Temperatura máxima	500 °C
Temperatura mínima	−45 °C
Satélites	Ninguno

Venus es parecido a la Tierra en su tamaño y su composición, pero desde luego no es un lugar habitable: está envuelto en nubes de ácido sulfúrico, su aire es un irrespirable dióxido de carbono y la temperatura es tan alta, que puede fundir el plomo: ¡hasta 480 °C!

LA ÚNICA ALTURA DE VENUS

Uno de los pocos accidentes geográficos de Venus es el monte Maat, con 8.000 m de altura. Debió de soltar mucha lava antiguamente, ya que en su llanura pueden observarse las huellas.

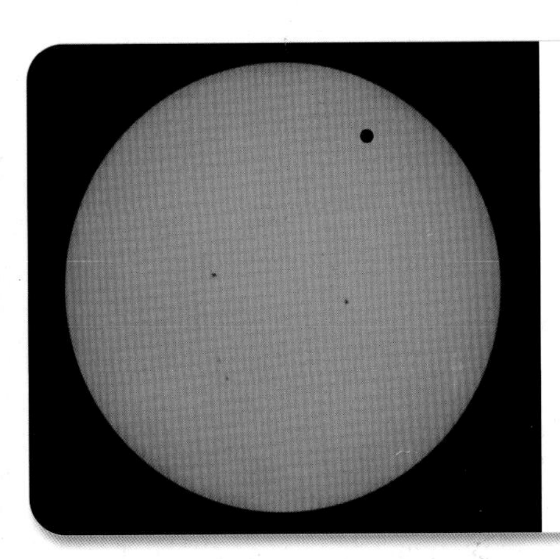

EL TRÁNSITO DE VENUS

El fenómeno del paso de Venus sobre el disco solar y su observación desde la Tierra es de gran belleza, si bien es un hecho raro que solo ocurre dos veces cada ocho años con algo más de un siglo entre cada par de tránsitos, y solo puede ser en diciembre o en junio. Para que lo entendáis, el último tránsito de Venus fue en 2004 y 2012, y el anterior tránsito había ocurrido en 1874 y 1882.

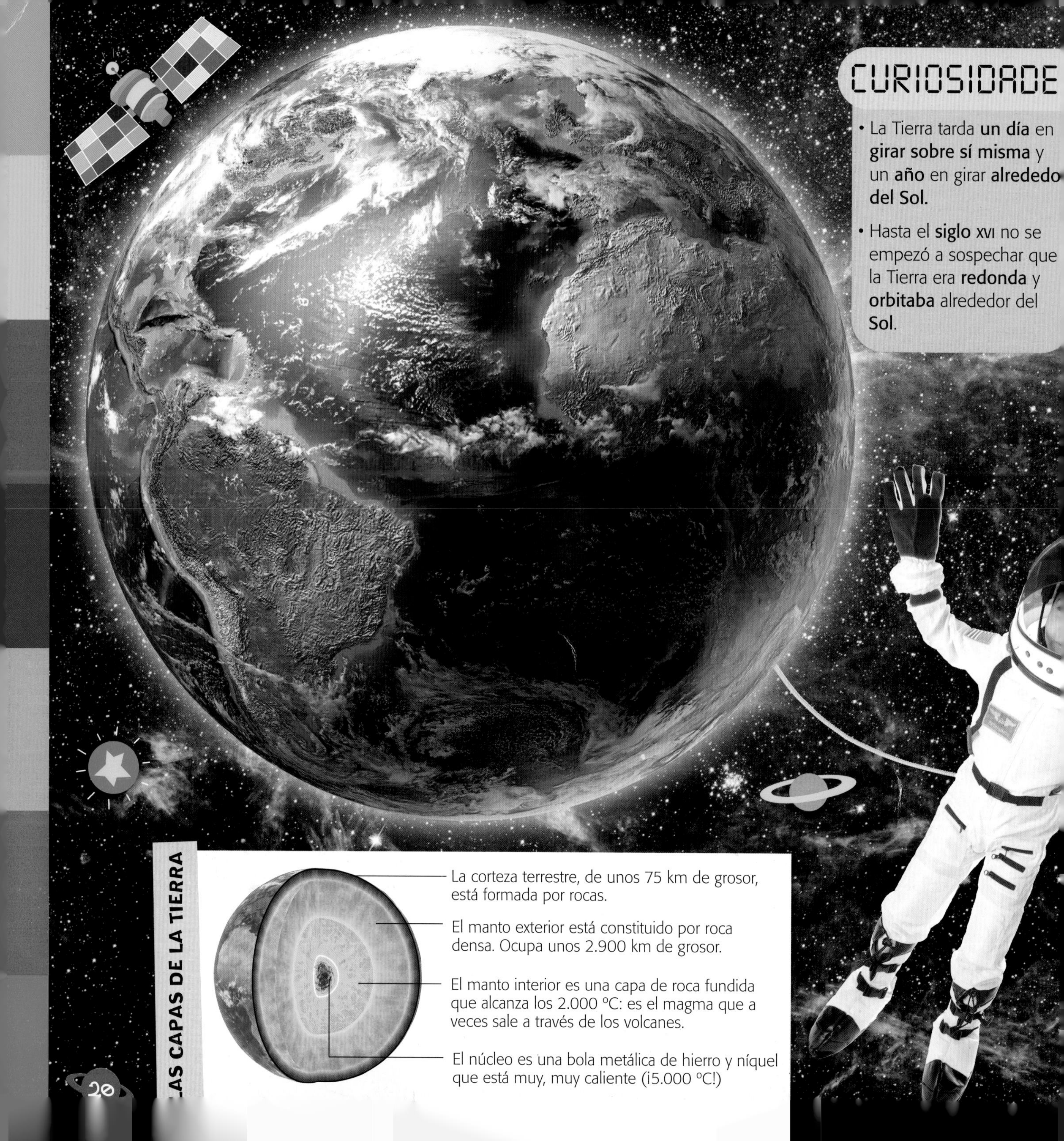

CURIOSIDADE

- La Tierra tarda **un día** en **girar sobre sí misma** y un **año** en girar **alrededo** **del Sol.**
- Hasta el **siglo** XVI no se empezó a sospechar que la Tierra era **redonda** y **orbitaba** alrededor del **Sol**.

LAS CAPAS DE LA TIERRA

La corteza terrestre, de unos 75 km de grosor, está formada por rocas.

El manto exterior está constituido por roca densa. Ocupa unos 2.900 km de grosor.

El manto interior es una capa de roca fundida que alcanza los 2.000 ºC: es el magma que a veces sale a través de los volcanes.

El núcleo es una bola metálica de hierro y níquel que está muy, muy caliente (¡5.000 ºC!)

Tierra

El planeta azul

Tenemos que agradecer ser el **tercer planeta** en **cercanía al Sol**, porque a esa distancia, recibimos su **luz** y su **calor**, imprescindibles para la vida, pero no nos abrasa, como ocurre en Mercurio y Venus.

LOS MARES

Por la cantidad de agua que hay en la Tierra y por su atmósfera, se ha llamado «el planeta azul». La mayor parte de la corteza terrestre se encuentra sumergida en los mares y océanos, formando fosas, mesetas y llanuras que no podemos ver. El lugar más profundo de la Tierra es la Fosa de las Marianas, donde está el abismo Challenger, con más de 10.000 m de profundidad.

Nuestro planeta es verdaderamente singular, pues se dan en él una serie de casualidades que favorecieron que surgiera la vida: la atmósfera, que contiene el necesario oxígeno para respirar o la presencia de agua (de hecho, un 75% de la Tierra está cubierto de agua). Se trata por tanto de un planeta único, porque en ningún otro del Sistema Solar hay vida.

Ficha técnica

Tamaño (diámetro)	12.756 km
Distancia media al Sol	149.700.000 km
Duración del día	24 horas
Duración del año	365 días (+ 6 horas)
Gravedad	$9{,}8\ m/s^2$
Temperatura máxima	55 °C
Temperatura mínima	–70 °C
Satélites	1

LA ATMÓSFERA

La capa de aire que envuelve a la Tierra no solo nos aporta oxígeno para respirar, es que además hace de escudo protector ante los rayos ultravioleta del Sol y también deshace los meteoritos pequeños que chocan contra ella. Por no olvidar el efecto invernadero: si nuestra atmósfera no interviniera en la temperatura, probablemente haría tanto frío en la Tierra que no podría darse la vida en ella.

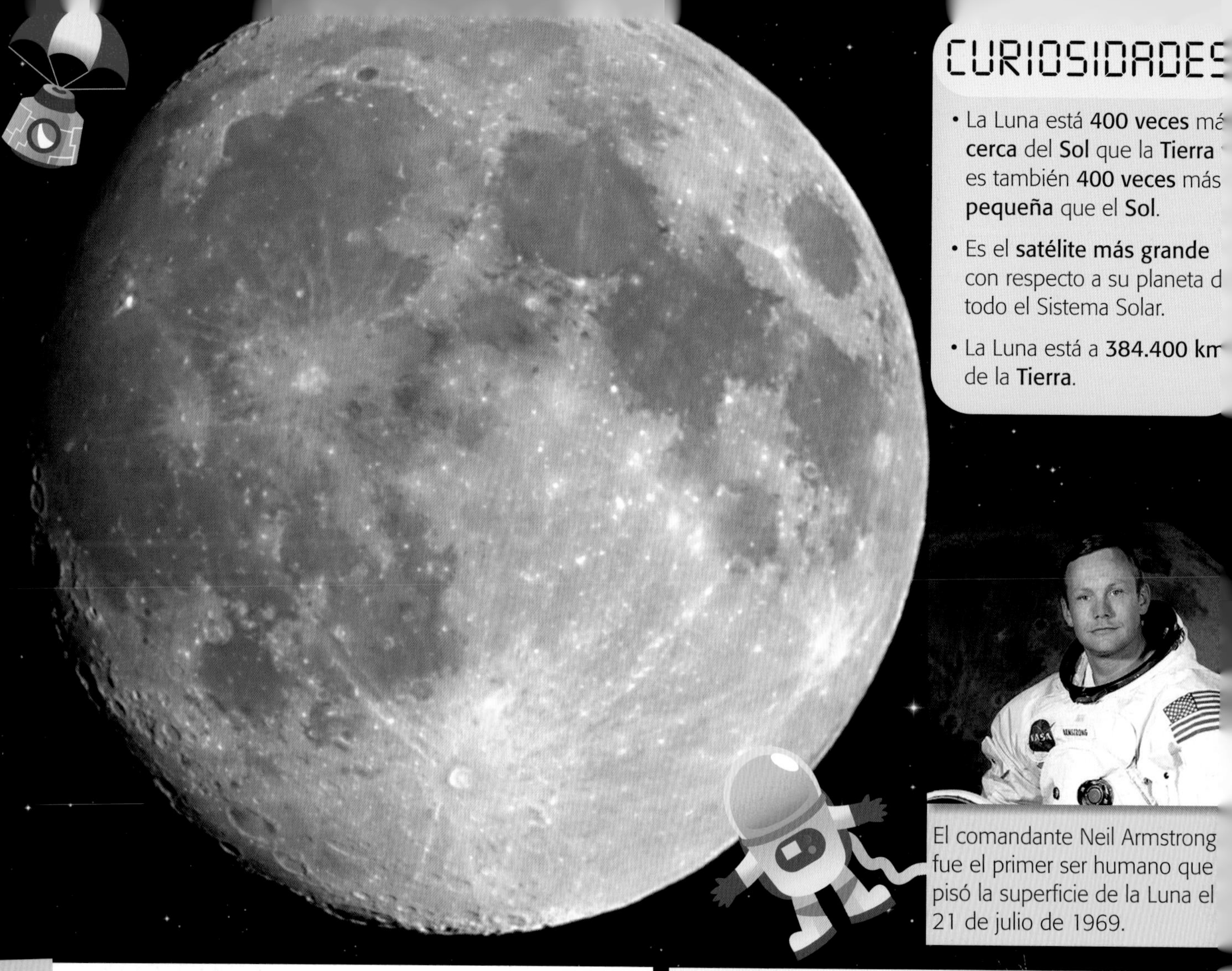

CURIOSIDADES

- La Luna está **400 veces** má **cerca** del **Sol** que la **Tierra** es también **400 veces** más **pequeña** que el **Sol**.
- Es el **satélite más grande** con respecto a su planeta d todo el Sistema Solar.
- La Luna está a **384.400 km** de la **Tierra**.

El comandante Neil Armstrong fue el primer ser humano que pisó la superficie de la Luna el 21 de julio de 1969.

LAS CAPAS DE LA LUNA

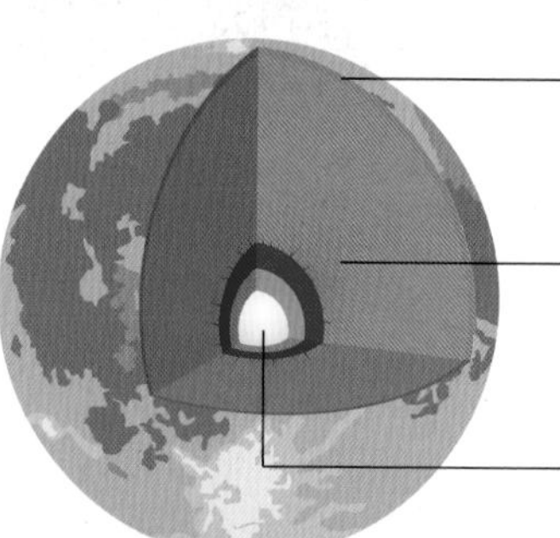

La superficie de la corteza está llena de cráteres, la característica de la Luna.

El manto está formado por sustancias rocosas y es pobre en metales.

El núcleo tiene una temperatura de unos 1.500 °C, pero se desconoce si es sólido o no.

¿CÓMO SE ORIGINÓ LA LUNA?

Hay varias teorías acerca del nacimiento de la Luna. Puede que fuera un trozo de roca perdido en el espacio que se quedara orbitando alrededor de la Tierra atraído por su fuerza de gravedad, pero puede también que fuera un fragmento que se desprendió de la Tierra tras sufrir un impacto y se quedó dando vueltas a su alrededor.

La Luna Compañera de la Tierra

La Luna es nuestra compañera, el **único satélite** de la Tierra, que **da vueltas a nuestro alrededor** en un viaje de unos 27 días que se repite una y otra vez. Aunque de noche nos parezca tan brillante, la Luna **no tiene luz propia**, sino que **refleja la luz del Sol.**

Ficha técnica

Tamaño (diámetro)	3.476 km
Distancia media desde la Tierra	384.600 km
Duración del día	24 horas 50 minutos
Duración del mes	29 horas 12 minutos
Gravedad	2,7 m/s^2
Temperatura máxima	105 °C
Temperatura mínima	−155 °C

El paisaje de la Luna es totalmente desolado y desnudo: rocas, polvo y multitud de cráteres provocados hace millones de años por la caída de meteoritos en mitad de la oscuridad. Las zonas más oscuras de la Luna se llaman mares (aunque no hay agua allí) y también se han observado cadenas montañosas.

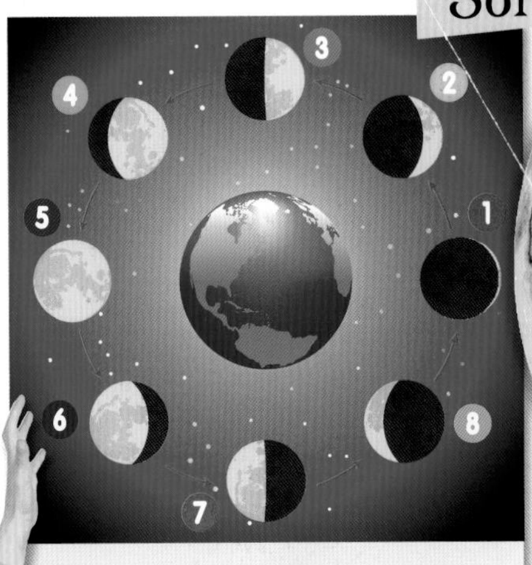

1. Luna nueva
2. Luna nueva visible
3. Cuarto creciente
4. Luna gibosa creciente
5. Luna llena
6. Luna gibosa menguante
7. Cuarto menguante
8. Luna menguante

LAS FASES DE LA LUNA

Según estén colocados la Luna, el Sol y la Tierra, la superficie de la Luna se verá de un modo u otro desde la Tierra. Así, cuando la Luna está de cara al Sol se ve Luna llena; cuando la cara iluminada de la Luna está de espaldas a la Tierra, entonces hay Luna nueva. Y según se va desplazando, se puede ver media cara iluminada (Cuarto menguante y creciente).

LA GRAVEDAD

La gravedad en la Luna es seis veces menor que en la Tierra, ¡por eso los astronautas flotan!

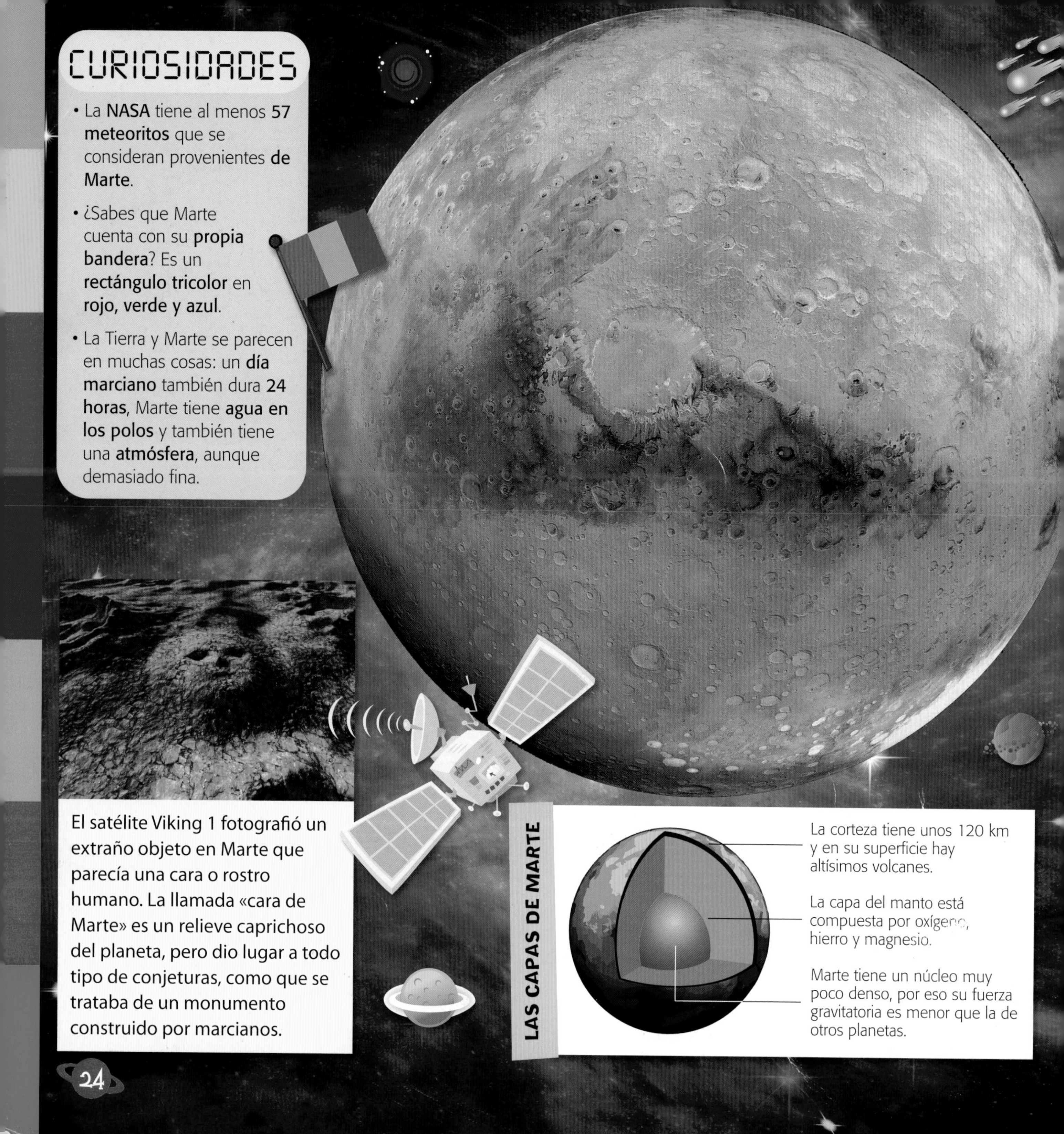

CURIOSIDADES

- La **NASA** tiene al menos **57 meteoritos** que se consideran provenientes **de Marte**.
- ¿Sabes que Marte cuenta con su **propia bandera**? Es un **rectángulo tricolor** en **rojo, verde y azul**.
- La Tierra y Marte se parecen en muchas cosas: un **día marciano** también dura **24 horas**, Marte tiene **agua en los polos** y también tiene una **atmósfera**, aunque demasiado fina.

El satélite Viking 1 fotografió un extraño objeto en Marte que parecía una cara o rostro humano. La llamada «cara de Marte» es un relieve caprichoso del planeta, pero dio lugar a todo tipo de conjeturas, como que se trataba de un monumento construido por marcianos.

LAS CAPAS DE MARTE

La corteza tiene unos 120 km y en su superficie hay altísimos volcanes.

La capa del manto está compuesta por oxígeno, hierro y magnesio.

Marte tiene un núcleo muy poco denso, por eso su fuerza gravitatoria es menor que la de otros planetas.

Marte
El planeta rojo

Ese **color rojo** que recuerda al de la **sangre** es el responsable del nombre que recibió en la antigüedad: **Marte**, el **dios romano de la guerra**.

El óxido de hierro que cubre toda su superficie hace de él un planeta de color rojo con un relieve de cráteres, cañones y cauces secos que ha hecho pensar que en algún momento tuvo vida. De hecho, sus dos casquetes polares tienen hielo. Por lo demás, en Marte reina la desolación más absoluta y fuertes tormentas de aire levantan el polvo rojo de sus dunas constantemente.

DOS SATÉLITES

Alrededor de Marte orbitan Fobos y Deimos, que tienen el récord de ser los satélites más pequeños de todo el Sistema Solar. En realidad, son dos asteroides que quedaron atrapados por el campo magnético de Marte y que tardan 8 y 30 horas respectivamente en dar la vuelta completa a su planeta.

▲ *Fobos*

Deimos ▶

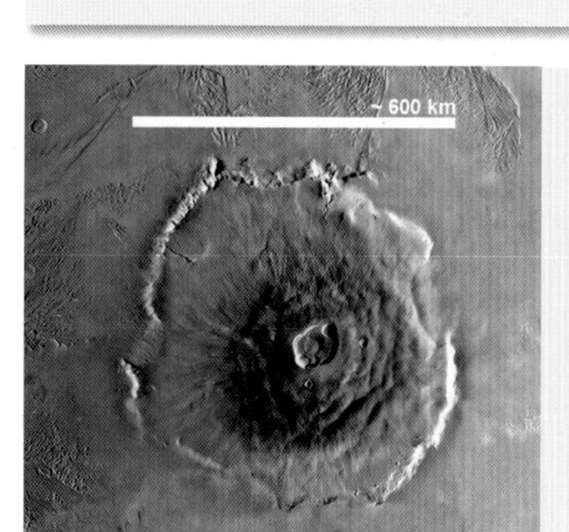

EL GIGANTE DE MARTE

El monte Olimpo es uno de los volcanes de Marte y mide 20.000 m: es la altura más grande del Sistema Solar. Si lo comparamos con la montaña más alta de la Tierra, el Mauna Kea (Hawaii), de 10.205 m, es casi el doble.

Ficha técnica

Tamaño (diámetro)	6.794 km
Distancia media al Sol	228.000.000 km
Duración del día	590,4 horas
Duración del año	687 días
Gravedad	3,71 m/s^2
Temperatura máxima	20 ºC
Temperatura mínima	–140 ºC
Satélites	2

UNA VISITA A MARTE

En 2004, un robot enviado por la NASA a Marte, el Opportunity MER-B, comenzó a investigar el aspecto de Marte y a enviar imágenes a la Tierra. Gracias a sus paseos filmados, sabemos cómo es la geografía de este planeta, su suelo, su relieve y otros fenómenos como las tormentas de arena.

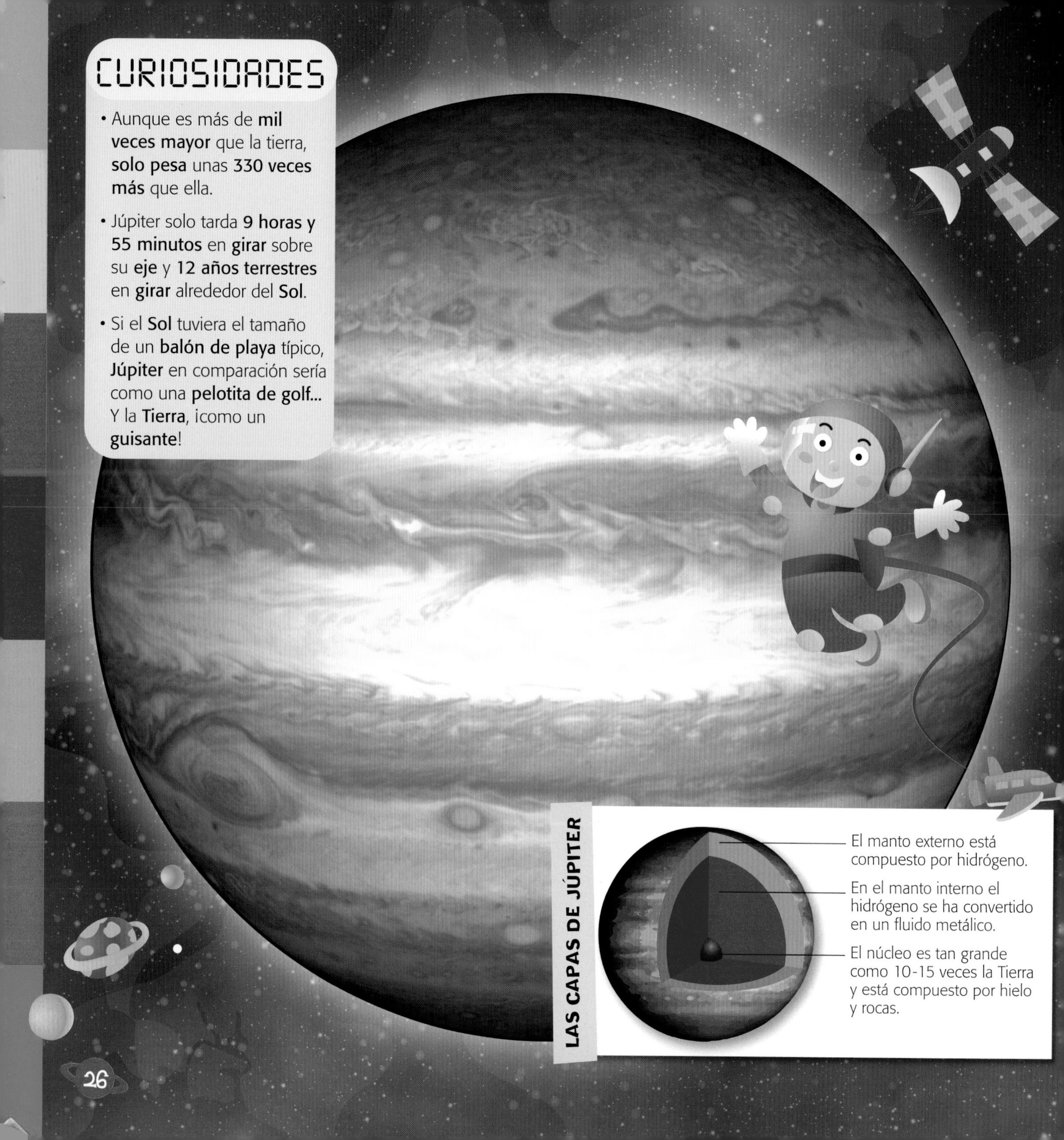
CURIOSIDADES
• Aunque es más de **mil veces mayor** que la tierra, **solo pesa** unas **330 veces más** que ella.
• Júpiter solo tarda **9 horas y 55 minutos** en **girar** sobre su **eje** y **12 años terrestres** en **girar** alrededor del **Sol**.
• Si el **Sol** tuviera el tamaño de un **balón de playa** típico, **Júpiter** en comparación sería como una **pelotita de golf...** Y la **Tierra**, ¡como un **guisante**!
LAS CAPAS DE JÚPITER
El manto externo está compuesto por hidrógeno.
En el manto interno el hidrógeno se ha convertido en un fluido metálico.
El núcleo es tan grande como 10-15 veces la Tierra y está compuesto por hielo y rocas.

Júpiter

El planeta más grande

He aquí a todo un **gigante**: Júpiter, el **más grande** de los planetas del **Sistema Solar** (¡mil veces más que la Tierra!), se merecía tener el **nombre** del **dios romano** por excelencia, el padre y señor de los demás dioses.

Ficha técnica

Tamaño (diámetro)	71.492 km
Distancia media al Sol	778.330.000 km
Duración del día	9,84 horas
Duración del año	4.328 días
Gravedad	22,88 m/s^2
Temperatura máxima	−75 °C
Temperatura mínima	−163 °C
Satélites	63

A diferencia de los planetas rocosos, como la Tierra, Mercurio, Venus y Marte, Júpiter es un planeta gaseoso: está compuesto por gases como el hidrógeno o el helio; es decir, no podríamos caminar sobre él aunque lográramos llegar tan lejos.

▲ Aunque no se aprecian tan claramente como los de Saturno, Júpiter tiene anillos que son partículas de polvo por culpa de las colisiones de meteoritos. Aunque no os lo creáis, su anillo principal tiene ¡6.500 km de ancho!

LAS LUNAS DE JÚPITER

Júpiter tiene algo más de 60 satélites, aunque los más importantes y famosos son cuatro: Calisto, Ganímedes, Europa e Ío. Galileo Galilei ya los observó en su época y empezó a pensar en la teoría de que el centro del Sistema Solar era el Sol y no la Tierra al estudiar la conducta de los satélites de Júpiter.

Calisto Ganímedes Europa Ío

¡VAYA TORMENTÓN!

La gran mancha roja que aparece en la superficie de Júpiter es una tormenta que dura 300 años, y… ¡tiene tres veces el tamaño de la Tierra! Es tan violenta que sus vientos superan los 400 km/h.

CURIOSIDADES

- **Galileo** ya **observó** los **anillos** de Saturno en 1610 usando un **telescopio** tan **rústico**, que pensó que en realidad aquello eran **lunas o satélites** y dijo que era un planeta «con orejas».
- Saturno es el **único planeta** del Sistema Solar que es **menos denso** que el **agua**.
- Se cree que tarde o temprano los **anillos** de Saturno **desaparecerán**.

ACHATADO

Su movimiento de rotación es extraordinariamente rápido y por eso se observa cierto abultamiento en su ecuador.

LAS CAPAS DE SATURNO

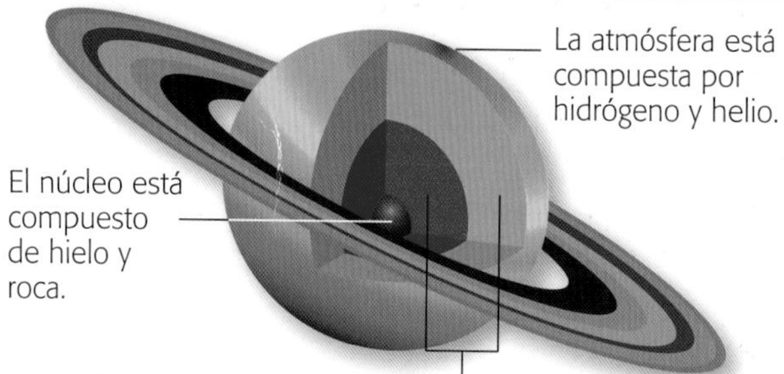

Saturno

El señor de los anillos

Si hubiera un paseo de la fama de los planetas, **Saturno** seguramente tendría su propia estrella, ya que es uno de los astros más queridos y **conocidos** gracias a sus **impresionantes anillos**, y aunque no es el único planeta que los tiene, sí es el único del que **se pueden ver desde la Tierra.**

Como Júpiter, Saturno es un planeta gaseoso, con un núcleo de hielo y roca, pero un manto de hidrógeno líquido y una atmósfera de hidrógeno y helio. El característico color blanquecino de este planeta se debe a la multitud de nubes bajas que lo rodean.

LOS INCREÍBLES ANILLOS

Los anillos están formados por partículas de hielo y al reflejar la luz del Sol, se convierten en un brillante mar de diamante. Son mucho más grandes de lo que creemos: con un ancho de 275.000 km y unos 1.000 m de grosor.

Ficha técnica

Tamaño (diámetro)	120.514 km
Distancia media al Sol	1.427.000.000 km
Duración del día	10,2 horas
Duración del año	10.731 días (29,4 años)
Gravedad	9,2 m/s^2
Temperatura media	−180 °C
Satélites	33

▲ *Titán* ▲ *Iapetus*

LOS SATÉLITES DE SATURNO

Saturno constituye un mini sistema planetario con sus 33 satélites. El más grande es Titán, el único satélite conocido que tiene una atmósfera lo suficientemente importante (formada por nitrógeno y metano).

Iapetus o Jápeto, es otro que merece la pena mencionar por su rareza: prácticamente la mitad del satélite es de un color muy oscuro y la otra mitad, de otro más claro. Se cree que esto es debido a que el material de la superficie es distinto, pero no se sabe por qué.

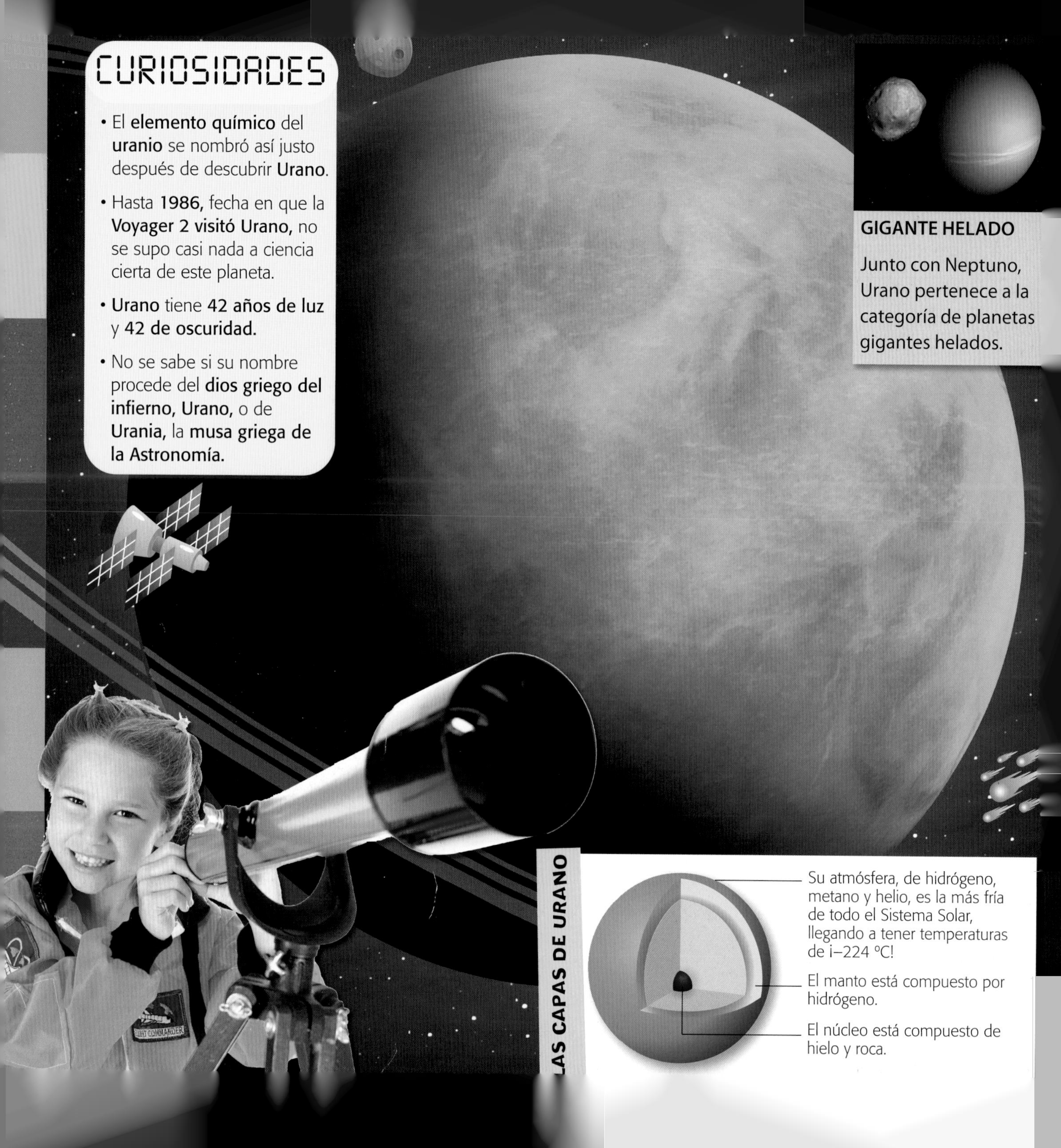

CURIOSIDADES

- El **elemento químico** del **uranio** se nombró así justo después de descubrir **Urano**.
- Hasta **1986,** fecha en que la **Voyager 2 visitó Urano,** no se supo casi nada a ciencia cierta de este planeta.
- **Urano** tiene **42 años de luz** y **42 de oscuridad.**
- No se sabe si su nombre procede del **dios griego del infierno, Urano,** o de **Urania,** la **musa griega de la Astronomía.**

GIGANTE HELADO

Junto con Neptuno, Urano pertenece a la categoría de planetas gigantes helados.

LAS CAPAS DE URANO

Su atmósfera, de hidrógeno, metano y helio, es la más fría de todo el Sistema Solar, llegando a tener temperaturas de ¡–224 °C!

El manto está compuesto por hidrógeno.

El núcleo está compuesto de hielo y roca.

Urano La bola gaseosa

Urano es probablemente el único planeta que está **«tumbado».** Esto ocurre porque su eje presenta una **inclinación de 90°** y esa inclinación a su vez ayuda a que le suceda algo increíble: en su **movimiento** de **traslación alrededor del Sol** (¡de 84 años!) sus **polos** reciben la **luz solar**... ¡durante **42 años seguidos**! Seguramente, el **verano** más **largo** del Sistema Solar.

Urano no fue considerado planeta hasta muy tarde. Su movimiento lentísimo y la poca luz que desprende engañó a los antiguos astrónomos. Fue el primer planeta descubierto gracias a un telescopio.

◀ *Imagen de Urano tomada por la nave Voyager 2.*

... Y SATÉLITES

Hasta un total de 27 satélites orbitan alrededor de Urano. Casi todos ellos reciben el nombre de personajes de Shakespeare y Pope. Todos ellos son mucho más pequeños que nuestra Luna.

◀ *Imagen captada por el telescopio espacial Hubble de los anillos y las lunas de Urano.*

Ficha técnica

Tamaño (diámetro)	51.118 km
Distancia media al Sol	2.869.000.000 km
Duración del día	17,2 horas
Duración del año	30.660 días (84 años)
Gravedad	8,69 m/s^2
Temperatura media	−210 °C
Satélites	27

TAMBIÉN CON ANILLOS...

Urano posee 13 anillos nombrados por letras griegas y que se aprecian en color gris o azulado. Casi todos son muy estrechos, de pocos kilómetros de anchura, y se han formado seguramente con las partículas de algún satélite que se hizo añicos.

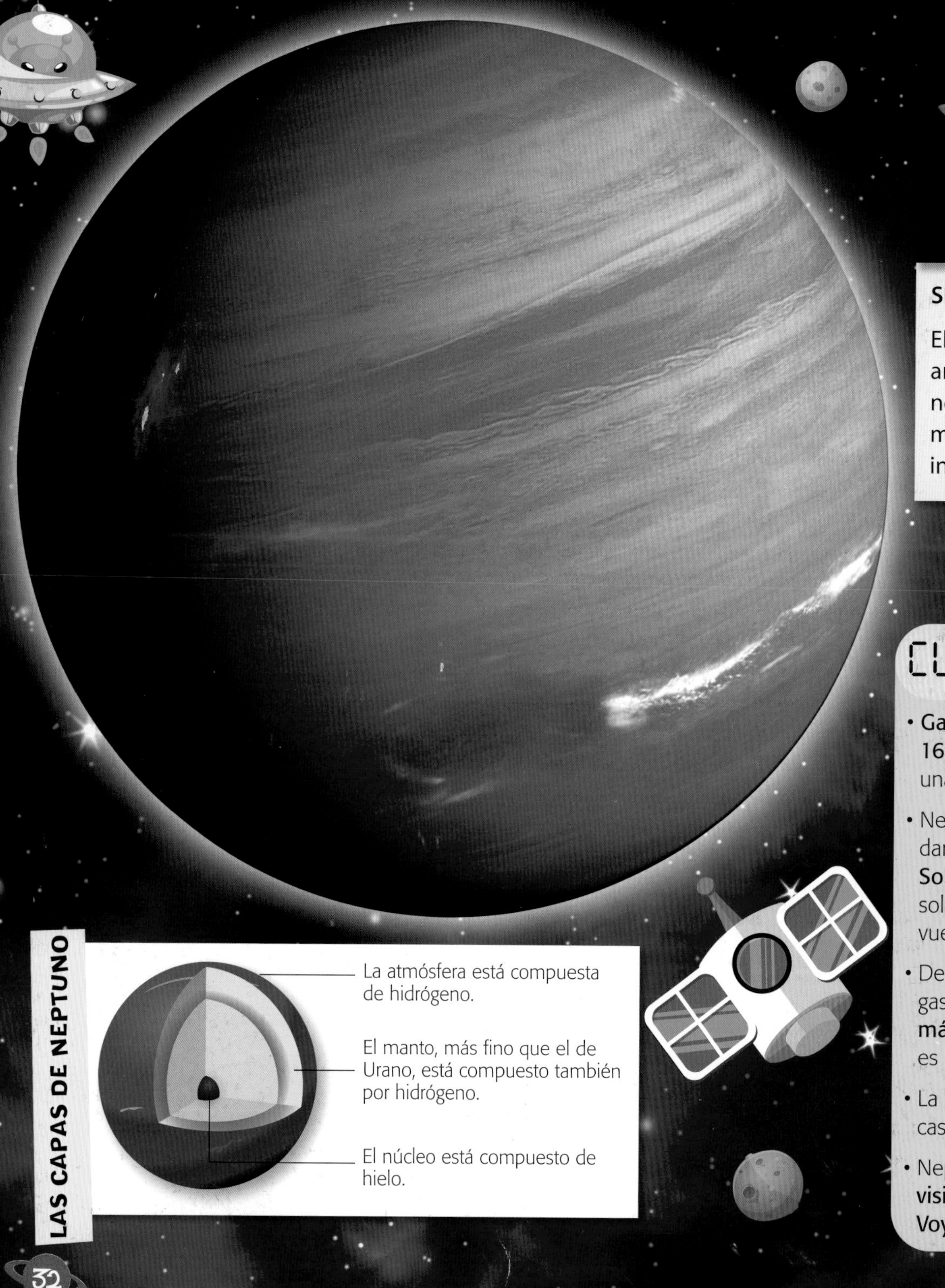

SISTEMA DE ANILLOS

El sistema consta de cinco anillos que reciben el nombre de los astrónomos más relevantes en la investigación de Neptuno.

CURIOSIDADES

- **Galileo** ya vio Neptuno en **1611**, ¡pero lo confundió con una **estrella**!
- Neptuno tarda **165 años** en dar una **vuelta completa al Sol**. Desde que se descubrió, solo ha conseguido dar una vuelta.
- De **todos** los planetas gaseosos, Neptuno es el **más pequeño**, pero también es el **más denso**.
- La **gravedad** de Neptuno es casi **igual** que la de la **Tierra**.
- Neptuno solo ha sido **visitado una vez** por la **Voyager 2**.

LAS CAPAS DE NEPTUNO

La atmósfera está compuesta de hidrógeno.

El manto, más fino que el de Urano, está compuesto también por hidrógeno.

El núcleo está compuesto de hielo.

Neptuno

El mundo helado

Ficha técnica

Tamaño (diámetro)	49.557 km
Distancia media al Sol	4.496.000.000 km
Duración del día	386,4 horas
Duración del año	60.152 días
Gravedad	11 m/s^2
Temperatura media	–220 ºC
Satélites	13

Es el planeta **más lejano** del Sistema Solar, un **gigante de gas** que además es de los más **fríos**. Es un **planeta enorme** comparado con la **Tierra.**

Por su color azulado, se le puso el nombre del dios romano del mar. Neptuno tiene anillos, pero son muy tenues, delgados y lejanos, y además son inestables y podrían desaparecer.

TRITÓN

Si en Neptuno hace frío, en Tritón, su principal satélite, todavía hace más: ¡hasta –235 ºC! Tritón está a unos 4.500 millones de km de la Tierra y orbita en dirección contraria a su planeta, toda una originalidad que científicamente se llama «órbita retrógrada».

MAL TIEMPO

En Neptuno se han observado manchas de grandes tempestades, como la Gran Mancha Oscura, que era tan grande como la Tierra y que desapareció en 1994... Aunque ahora se ha formado otra tormenta igual de masiva. Es el lugar en el que los vientos soplan más fuertes de todo el Sistema Solar: nada menos que a… ¡2.000 km/h!

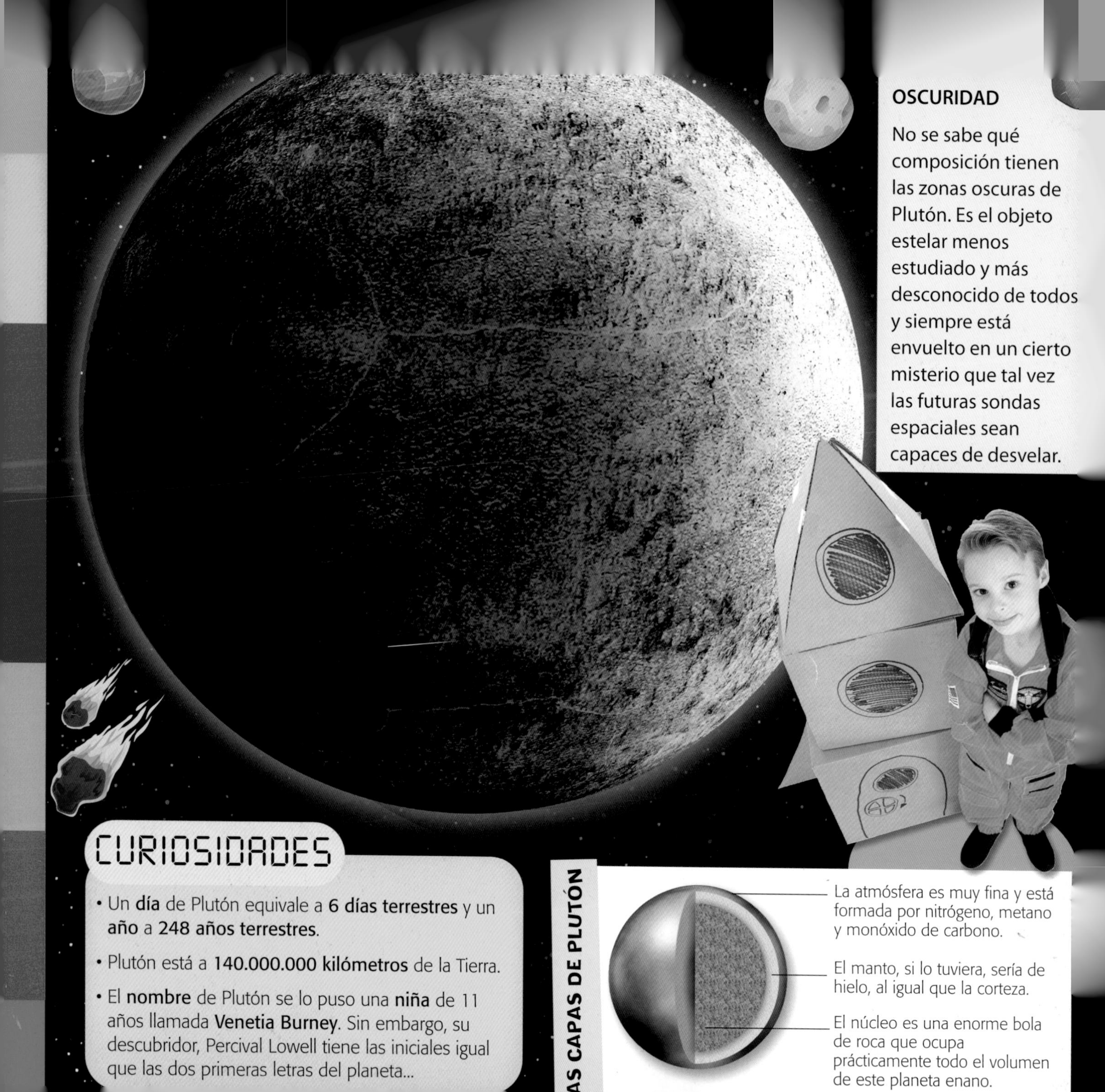

OSCURIDAD

No se sabe qué composición tienen las zonas oscuras de Plutón. Es el objeto estelar menos estudiado y más desconocido de todos y siempre está envuelto en un cierto misterio que tal vez las futuras sondas espaciales sean capaces de desvelar.

CURIOSIDADES

- Un **día** de Plutón equivale a **6 días terrestres** y un **año** a **248 años terrestres**.
- Plutón está a **140.000.000 kilómetros** de la Tierra.
- El **nombre** de Plutón se lo puso una **niña** de 11 años llamada **Venetia Burney**. Sin embargo, su descubridor, Percival Lowell tiene las iniciales igual que las dos primeras letras del planeta...

AS CAPAS DE PLUTÓN

La atmósfera es muy fina y está formada por nitrógeno, metano y monóxido de carbono.

El manto, si lo tuviera, sería de hielo, al igual que la corteza.

El núcleo es una enorme bola de roca que ocupa prácticamente todo el volumen de este planeta enano.

Plutón

El destronado

Plutón dejó de ser considerado un planeta en el **año 2006** y pasó a denominarse «**planeta enano**». Forma parte de lo que se llaman «**objetos transneptunianos**»* y está tan lejos que nunca ha sido visitado por ninguna sonda espacial, así que en realidad **todo** lo que sabemos de él es casi una **conjetura**.

** Es decir, que se encuentran más allá del planeta Neptuno.*

SITUACIÓN DE PLUTÓN EN EL SISTEMA SOLAR

1. Sol
2. Mercurio
3. Venus
4. Tierra
5. Marte
6. Saturno
7. Júpiter
8. Urano
9. Neptuno
10. Plutón

Además de estar tan lejos, es muy pequeño y no tiene brillo, así que no se puede ver más que con grandes telescopios. En algún momento incluso se llegó a pensar que Plutón era un satélite de Neptuno.

◀ *Caronte*

Ficha técnica

Tamaño (diámetro)	2.300 km
Distancia media al Sol	5.914.000.000 km
Duración del día	153,6 horas
Duración del año	90.520 días
Gravedad	0,6 m/s²
Temperatura máxima	–218 °C
Temperatura mínima	–240 °C
Satélites	1

CINCO SATÉLITES

A pesar de ser pequeño, tiene cinco satélites: Caronte, Hidra, Nix, Cerbero y Estigia. El más importante de ellos es Caronte, que tiene un tamaño tan parecido al de Plutón, que casi se diría que es un doble planeta. La superficie de Caronte es prácticamente entera de hielo. Tiene la singularidad de que siempre presenta la misma cara a Plutón.

Cometas

La mayor parte de los cometas tienen una trayectoria periódica que se repite cada cierto tiempo y que puede predecirse para poder contemplarse.

Un **cometa** es un cuerpo celeste formado por **polvo, rocas y hielo** que, al igual que los planetas, orbitan **alrededor** del **Sol**. Lo característico de los cometas es que cuando se acercan al Sol, el hielo del que están hechos se funde y entonces aparece una **cola de polvo y gas**. De hecho, la palabra cometa viene del griego y significa **«cabellera»**, por esa cola alargada que deja como **estela**.

COMPOSICIÓN DE UN COMETA	
Agua	Hielo
Amoniaco	Metano
Hierro	Magnesio
Sodio	Silicatos

EDAD DE LOS COMETAS

Los cometas pueden clasificarse según su edad, calculando la cantidad de vueltas que han dado alrededor del Sol:

- **Cometa bebé:** menos de 5 vueltas
- **Cometa joven:** de 6 a 30 vueltas
- **Cometa medio:** de 31 a 70 vueltas
- **Cometa viejo:** de 71 a 100 vueltas
- **Cometa Matusalén:** más de 100 vueltas

EL CINTURÓN DE KUIPER

El origen de casi todos los cometas de corto periodo está en una zona más allá de Neptuno: se trata del cinturón de Kuiper, un lugar lleno de cuerpos celestes de entre 100 y 1.000 km de diámetro, de los que se han observado más de 800, aunque hay muchísimos más.

CURIOSIDADES

- Los **cometas** se han relacionado desde tiempos antiguos con **catástrofes** y **fatalidades**, pero no tiene ninguna base científica y seguramente esa preocupación era solo fruto de la ignorancia y la superstición.
- El **Gran Cometa de 1811** fue visible ¡durante **9 meses seguidos**!
- En **2005** una sonda enviada por la **NASA impactó** a propósito **contra el cometa Tempel I.** El propósito del choque era poder **analizar** el **núcleo** de un cometa.

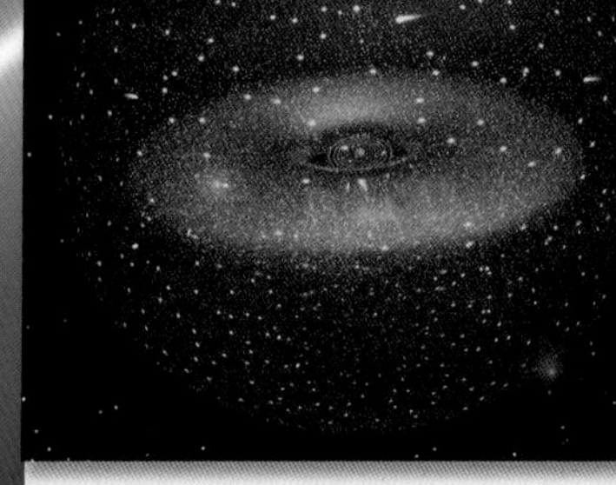

EL COMETA HALLEY

Este gran cometa orbita alrededor del Sol a una media de cada 76 años (entre 74 y 79). Su peculiaridad reside en que es el único cometa de periodo corto que puede observarse a simple vista desde la Tierra. Se sabe que fue visto por primera vez en el 239 a. C. y su próxima visita se espera para el año 2061.

LA NUBE DE OORT

Los cometas de largo periodo proceden de la Nube de Oort, que es una masa esférica formada por cuerpos celestes que describen una órbita tan alargada, que solo se pueden ver pasados miles de años.

Asteroides

Orbitando alrededor del **Sol** hay también **cuerpos rocosos o metálicos** pequeños que quizá sean los **restos** de algún **planeta** que se hizo pedazos hace **billones de años**. Como desde la Tierra **parecen estrellas**, se les puso por nombre **«asteroide»**, que significa **«con forma de estrella».** Cuando los asteroides **caen** sobre la **Tierra**, los llamamos **meteoritos**.

Existen miles de millones de asteroides y todos ellos son más pequeños que un planeta enano como Plutón.

EL CINTURÓN DE ASTEROIDES

Prácticamente, todos los asteroides forman parte de lo que se conoce como el Cinturón de Asteroides, situado entre las órbitas de Marte y Júpiter. En ese cinturón está también un planeta enano llamado Ceres, pero el resto son cuerpos muy pequeños.

ASTEROIDES MÁS CONOCIDOS

Nombre	Radio	Distancia media al Sol	Año de descubrimiento
Ceres	457 km	413.900.000 km	1801
Pallas	261 km	414.500.000 km	1802
Vesta	262 km	353.400.000 km	1807
Hygíea	215 km	470.300.000 km	1849
Eunomia	136 km	395.500.000 km	1851
Psyche	132 km	437.100.000 km	1852
Europa	156 km	436.300.000 km	1858
Silvia	136 km	512.500.000 km	1866
Ida	Irregular	270.000.000 km	1884
Davida	168 km	475.400.000 km	1903
Interamnia	167 km	458.100.000 km	1910
Gaspra	Irregular	205.000.000 km	1916

¿CHOCARÁN CONTRA LA TIERRA?

Es posible que algún asteroide pueda chocar contra la Tierra, así que existen métodos para evitar un impacto peligroso de un objeto celeste contra nosotros. Por ejemplo, pueden ser desviados de su ruta para impedir una catástrofe.

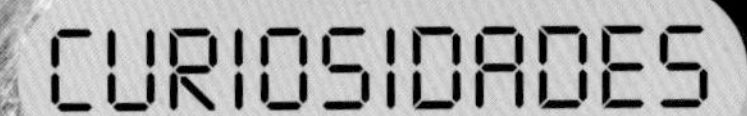

- Algunos **asteroides** pueden tener sus propios **satélites**.
- Existe la teoría de que un **asteroide** fue el responsable de la **extinción** de los **dinosaurios**: un choque debió de impactar contra la Tierra y eso provocó drásticos cambios climáticos que terminaron con la vida de los dinosaurios.
- El meteorito **Barringer** dejó un cráter de más de **1 km de ancho** y de **700 m de profundidad** cuando impactó en lo que hoy es **Arizona** durante la Edad del Hielo.

Agujeros negros

Los agujeros negros son uno de los **grandes misterios** del Universo. Se trata de **regiones infinitas** del espacio con una cantidad de **masa tan grande**, que **nada** ni **nadie** puede **escapar** de su **fuerza gravitatoria**, de manera que el agujero negro se «traga» todo lo que se aproxima a él, incluida la luz.

CLASIFICACIÓN DE LOS AGUJEROS NEGROS

Los **supermasivos**, en el corazón de las galaxias, con una masa de varios millones de masas solares.

Los de **masa estelar**, formados por una estrella supernova que implosiona (explota hacia dentro).

Los **microagujeros**, más pequeños y que pueden desaparecer con el tiempo.

Además de poseer ese increíble campo gravitatorio, científicos como Stephen Hawking creen que los agujeros negros emiten radiación. Se piensa que en todas las galaxias hay agujeros negros gigantescos y desconocidos.

TODO UN MISTERIO

Nadie sabe qué ocurre dentro de un agujero negro, solo se ha podido imaginar la actividad que reina allí dentro observando los efectos que se producen en sus alrededores.

EL MÁS GRANDE Y EL MÁS PEQUEÑO

El agujero negro más grande del que se tiene noticia es el IC 10 X-1, que se encuentra en la constelación de Casiopea, dentro de una galaxia enana, a 1,8 millones de años luz de la Tierra y fue descubierto en 2007. El agujero negro más pequeño es el J 1650 encontrado en 2008 en la Vía Láctea. Solo tiene 24 km de diámetro.

CURIOSIDADES

- Tranquilo, ningún agujero negro podría engullir a la Tierra: **el más cercano** es Cygnus X-1... ¡Y **está a 8.000 años luz** de nosotros!
- En realidad, los agujeros negros **no son** tan **negros**: al emitir radiación, **brillan**.
- Se cree que hay **más agujeros negros** que **estrellas**.
- Los agujeros negros son **esféricos** y **giran sobre sí mismos**.

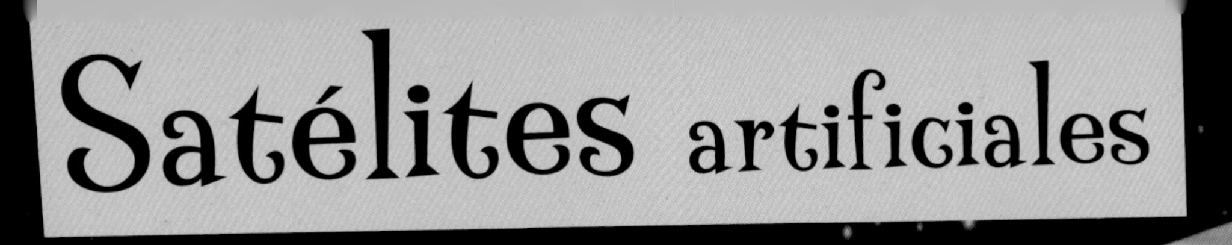

Satélites artificiales

Un satélite artificial es una **nave** que **se envía** a algún lugar del **espacio imitando** el **movimiento** orbital de los **satélites** naturales para poder **observar** o estudiar una **zona** determinada. Al terminar su misión, se quedan **flotando** en forma de **basura** espacial.

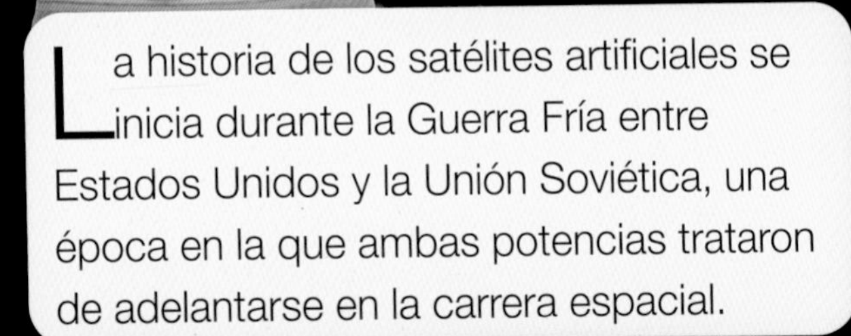

La historia de los satélites artificiales se inicia durante la Guerra Fría entre Estados Unidos y la Unión Soviética, una época en la que ambas potencias trataron de adelantarse en la carrera espacial.

HISTORIA DE LOS SATÉLITES

País	Primer satélite	Año de lanzamiento
Unión Soviética	Sputnik 1	1957
Estados Unidos	Explorer 1	1958
Francia	Astérix	1965
Japón	Osumi	1970
China	Dong Fang Hong I	1970
Reino Unido	Prospero X-3	1971
India	Rohini	1981
Israel	Ofeq 1	1988
Irán	Omid 1	2009
Corea del Norte	Kwangmyŏngsŏng-3	2012

EL SPUTNIK 1

El primer satélite artificial de la Historia fue el Sputnik 1, lanzado por la Unión Soviética en 1957. El pequeño satélite redondo, de aluminio, de tan solo 83 kg de peso, y con cuatro antenas largas y finas que medían menos de 3 m, estuvo tres meses orbitando la Luna y la Tierra y mandando señales a la Tierra. Al Sputnik 1 le siguieron el Sputnik 2 y el fallido Sputnik 3.

LOS SATÉLITES AMERICANOS

En 1958, Estados Unidos lanzó el satélite Explorer 1, que tenía forma de misil, y en 1960, el satélite de comunicaciones Echo 1 y dos años después, el Telstar 1. Fueron muy importantes, ya que gracias a ellos se empezó a retransmitir televisión internacional.

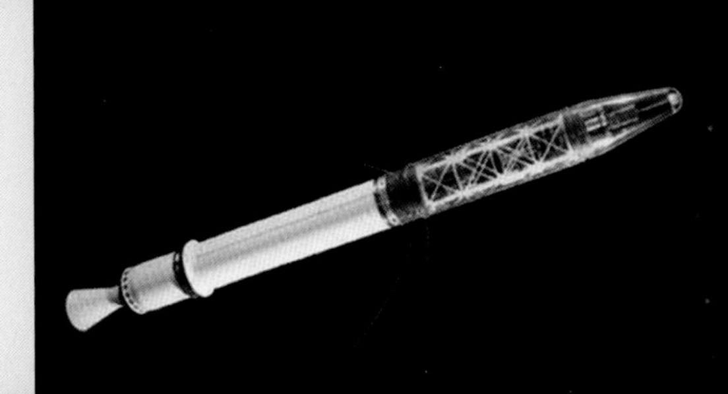

SATÉLITES PARA TODO

Hoy en día cientos de satélites cumplen todo tipo de misiones en el espacio para hacernos la vida más cómoda. Existen satélites astronómicos que se dedican al estudio científico de nuestra galaxia, pero también satélites de telecomunicaciones para emitir señales de radio y televisión; satélites meteorológicos capaces de predecir el clima; incluso hay satélites de reconocimiento que los gobiernos usan como arma secreta militar.

CURIOSIDADES

- **Sputnik**, en ruso, significa **«compañero de viaje»**. Un modelo de este satélite decora hoy día la **entrada** de las **Naciones Unidas** en su sede de **Nueva York**.
- La primera vez que vimos la **cara oculta de la Luna** fue gracias al satélite **Lunik III.**
- Hay unos **4.000 satélites artificiales** orbitando nuestro planeta.
- Si crees que los satélites artificiales no **sirven** para nada, lee esto: sin satélites artificiales no sabríamos cuándo va a **llover** o a **nevar**, no tendríamos **televisión** ni **Internet** y no sabríamos casi nada de **nuestra** propia **galaxia**.

Viajes espaciales

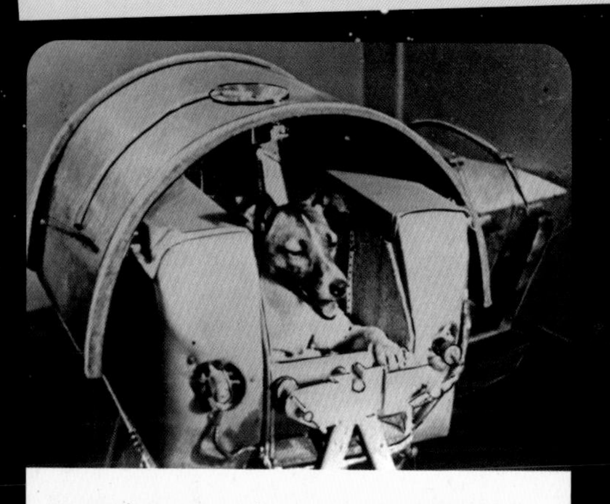

Tras lanzar el primer satélite artificial, el Sputnik 1, la **Unión Soviética** lanzó el **Sputnik 2**, el **primer vuelo tripulado** de la Historia. Pero el **tripulante** no era un astronauta, sino... una dulce **perrita** llamada **Laika**, que fue el primer ser vivo en orbitar la Tierra en el año **1957**, abriendo el camino a los viajes espaciales tripulados por seres humanos.

Desde el viaje de Laika hasta hoy, los seres humanos hemos viajado por el espacio y hemos logrado pasear por la Luna, aunque, como verás, no lo hicimos de golpe, sino paso a paso.

CURIOSIDADES

- Cuando **Gagarin aterrizó**, la **primera persona** que **le vio** caer del cielo fue una **campesina** con su nieta de seis años. Muy extrañada, **le preguntó** si venía del **espacio** y **Gagarin** le **respondió** simplemente que **sí.**
- Las palabras de **Armstrong** al pisar la Luna por primera vez han quedado para la Historia: **«Un pequeño paso para el hombre, pero un gran salto para la humanidad».**
- La **Estación Espacial Internacional** pesa unas **500 toneladas** y tiene el tamaño aproximado de **un estadio de fútbol.**
- Los astronautas del **Apolo 11** trajeron unos **300 kg** de **rocas lunares** a la Tierra.

EL TOP FIVE DE LOS VIAJES ESPACIALES

Fecha	Nave	Astronautas	Misión
1957	Sputnik 2	La perra Laika	Primer vuelo tripulado
1961	Vostok 1	Yuri Gagarin	Primer vuelo tripulado por humanos
1965	Voshkod 2	Alexei Leonov	Primer paseo espacial
1969	Apolo 11	Neil Armstrong, Edwin Aldrin y Michael Collins	Llegada a la Luna
2001	Soyuz TM32	Dennis Tito	Primer turista espacial

EL PRIMER ASTRONAUTA

El 12 de abril de 1961, el piloto y militar ruso Yuri Gagarin se convirtió en el primer ser humano que hizo un viaje espacial. En concreto, estuvo 89 minutos volando a unos 300 km de la Tierra a bordo de la nave Vostok 1. Concluido el vuelo, Gagarin salió despedido de la cápsula de la nave y aterrizó con ayuda de un paracaídas, convirtiéndose en un héroe internacional.

APOLO 11

Quizá la nave más famosa de la Historia sea el Apolo 11, a bordo de la cual los astronautas Neil Armstrong, Edwin Aldrin y Michael Collins consiguieron cumplir uno de los sueños de la humanidad: alcanzar la Luna. El 21 de julio de 1969 Neil Armstrong tuvo el honor de pisar la superficie lunar por primera vez, acontecimiento que se retransmitió por televisión a todo el mundo.

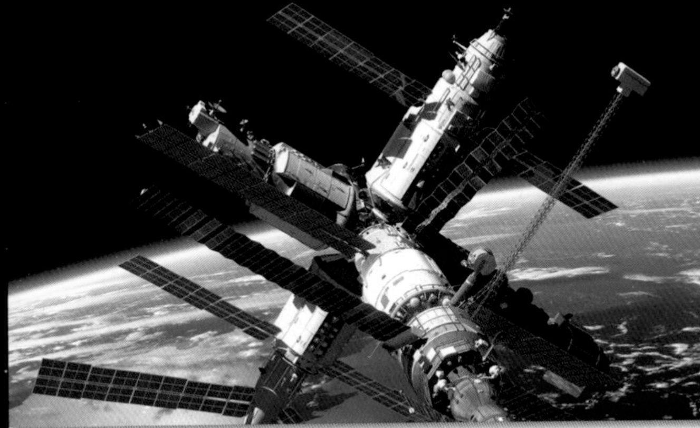

ESTACIONES ESPACIALES

Aunque los programas lunares como el Apolo no han continuado, varios países han construido estaciones espaciales, que son plataformas artificiales fijas en el espacio donde se puede investigar. La Estación Espacial Internacional es un pequeño complejo habitable en el espacio donde astronautas de todo el mundo cooperan en un estudio permanente del Universo que nos rodea.

Nombres propios

Gracias a la **inteligencia**, la **amplitud de miras** para adelantarse a su tiempo y en muchos casos, al **arrojo** y el **valor** de una serie de personas extraordinarias, hemos alcanzado los niveles científicos y tecnológicos que hoy nos permiten saber mucho más sobre nuestro Universo y cómo aprovecharlo en nuestro beneficio.

Esta es una galería como homenaje a los personajes más importantes para la Ciencia y la Tecnología espacial.

CIENTÍFICOS

- **Galileo Galilei** (1564-1642), padre de la Astronomía y la Física moderna. Ideó la primera ley del movimiento y mejoró el telescopio, haciendo observaciones que en algunos casos aún son exactas a día de hoy.
- **Johannes Kepler** (1571-1630), científico revolucionario que estableció el movimiento de los planetas alrededor del Sol.
- **Isaac Newton** (1643-1727), autor de la Ley de la Gravitación Universal y de las leyes de la inercia, de la dinámica y de la acción y reacción.
- **Albert Einstein** (1879-1955), padre de la Teoría de la Relatividad que propone que la velocidad de la luz es siempre la misma en el espacio y relaciona la masa con la energía.

Galileo Galilei

Johannes Kepler

Albert Einstein

Isaac Newton

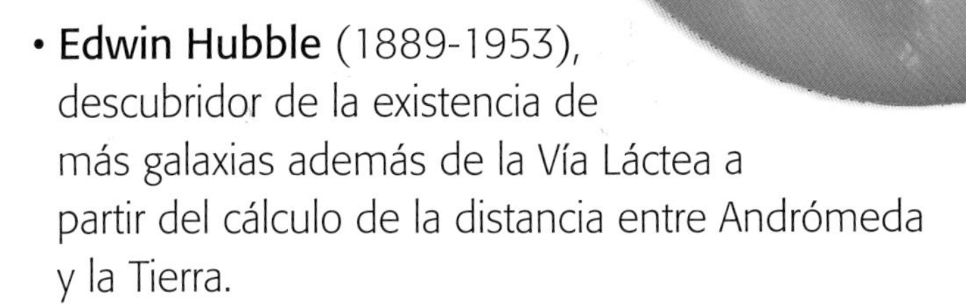

Edwin Hubble

- **Edwin Hubble** (1889-1953), descubridor de la existencia de más galaxias además de la Vía Láctea a partir del cálculo de la distancia entre Andrómeda y la Tierra.
- **Stephen Hawking** (1942), defensor de la Teoría del Big Bang como comienzo del Universo y de los agujeros negros como posible final.

Stephen Hawking

ASTRONAUTAS

- **Yuri Gagarin** (1934-1968), primer hombre en pilotar un vuelo espacial tripulado a bordo del Vostok 1.
- **Alexei Leonov** (1934), primer hombre en dar un paseo por el espacio durante 12 minutos, sujeto a su nave por una correa de unos 5 m.
- **Neil Armstrong** (1930-2012), primer hombre en pisar la Luna en la misión Apolo 11, de la que era comandante.
- **Valentina Tereshkova** (1937), primera mujer en viajar al espacio en la nave Vostok 6 en 1963 con el nombre clave de «Chaika» (gaviota).

Yuri Gagarin

Alexei Leonov

Neil Armstrong

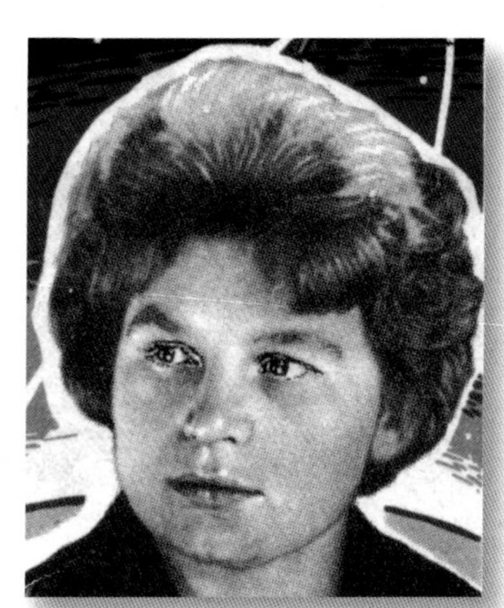

Valentina Tereshkova

Universo y planetas

Contenido

C/ San Rafael, 4
28108 Alcobendas (Madrid)
Tel.: (34) 91 657 25 80
Fax: (34) 91 657 25 83
e-mail: libsa@libsa.es
www.libsa.es

Textos: María Mañeru
Edición y maquetación: Equipo editorial LIBSA
Imágenes: Archivo LIBSA, www.123rf.com, NASA

ISBN: 978-84-662-3602-7

DL: M 40015-2016